CUENTOS A LA INTEMPERIE

JUAN JOSÉ MILLÁS

clu

ACENTO
EDITORIAL

Colección dirigida por **Gemma Lienas**

Diseño de cubierta: *Estudio SM*
Imagen de cubierta: *Madrid desde Torres Blancas*
          Antonio López García (*fragmento*)

© Juan José Millás, 1996
© Acento Editorial, 1997
  Joaquín Turina, 39 - 28044 Madrid

Comercializa: CESMA, SA - Aguacate, 43 - 28044 Madrid

ISBN: 84-483-0192-7
Depósito legal: M-4763-1997
Fotocomposición: Grafilia, SL
Impreso en España/Printed in Spain
Imprenta SM - Joaquín Turina, 39 - 28044 Madrid

LA CIUDAD

MÁS BREVE TODAVÍA

CARTAS DE AMOR

La Ciudad

LA CIUDAD

TAXIS

Las voces, las calles, los taxistas

ENCOGIDO en un rincón del taxi, intentaba hacer como que no oía la conversación del taxista con un compañero a través de la emisora. Se trataba de un diálogo amoroso, dominado por la pasión de los celos. Mi conductor estaba a punto de echarse a llorar, pero el del otro coche hablaba ya entre hipidos. Me dirigía a una clínica de urgencias situada en la zona de Ópera, porque acababa de rodar por una escalera y tenía el tobillo izquierdo hecho polvo.

—Te digo que ahora estoy haciendo un servicio —decía el taxista masticando las palabras para ver si de ese modo llegaban destrozadas e irreconocibles a la parte de atrás. Lo que pasa es que las leyes de la acústica son muy raras y, en lugar de masticadas, me llegaban digeridas, de manera que accedía a su sentido como a una revelación.

—Me engañas —decía el otro.

—No te engaño, estoy en Serrano y voy hacia Ópera. Vete hacia allá, tomamos un café y hablamos.

—Es que yo sí que estoy haciendo un servicio.

—Mentira. Si no quieres verme, prefiero que lo digas.

El tráfico estaba fluido; en seguida llegaríamos a Cibeles. El tobillo había dejado de dolerme, pero sentía en torno a él una aureola como de algodón. No me atreví a bajar la mano para tocar el bulto por miedo a que el chófer interpretara el cambio de postura como un deseo de escuchar mejor. El otro dijo que estaba en Doctor Esquerdo y que se dirigía a Diego de León. Sus destinos se separaban como la carne inflamada de mi hueso. Entre la Puerta de Alcalá y Cibeles escuché unos sollozos. Finalmente el del otro coche, para demostrar que estaba haciendo un servicio, pidió a la señora que llevaba detrás que dijera unas palabras.

—Hola, soy la señora que se dirige a Diego de León. Es muy doloroso verlos discutir así. Déjenlo, por favor.

—Como si no supiera que eres tú, que has sido ventrílocuo antes de trabajar el taxi —insistió el mío.

La voz de la señora me golpeó en algún registro íntimo y me sedujo, de manera que, adelantando el cuerpo, hablé en dirección al micrófono.

—Yo soy el usuario que se dirige a Ópera. Lleva usted razón, señora, se están torturando inútilmente.

—¿A dónde va usted? —preguntó ella.

—A Ópera —respondí—, me acabo de torcer el tobillo en una escalera y me han recomendado un servicio de urgencias.

—Yo voy al hospital de la Princesa, el de Diego de León con Conde de Peñalver. Soy médico y entro de servicio dentro de un rato. ¿Por qué no viene hacia acá y le miramos ese pie?

Mi taxista me hacía señas para hacerme creer que estaba siendo engañado, pero yo ya me había enamorado perdidamente de la voz, porque tenía ese tono de las mujeres que nos hablan en los sueños.

—A Diego de León —ordené.

Dimos la vuelta y comprobé que en esa dirección el
tráfico y mi ansiedad eran más densos que en la otra.
Durante el trayecto, construí un cuerpo para la voz e
imaginé sus dedos deambulando con sabiduría por mi
tobillo. El taxista vigilaba mis emociones a través del
espejo. Se detuvo en la puerta de urgencias.

—Ahí está —dijo señalando el taxi de delante. No
vi a nadie en la parte de atrás, pero cojeé hasta la ventanilla del conductor y pregunté por la doctora. Entonces, al otro lado del cristal, un rostro apaisado, que parecía emerger de las profundidades abisales de mi conciencia, me contempló con lentitud, y al abrir su boca
de pez emitió el sonido del que me había enamorado.
Mientras huía arrastrando el pie izquierdo en dirección
a Juan Bravo, escuché una carcajada doble a mis espaldas.

LOS MUERTOS Y EL TRÁFICO

VOLVÍA de comer con unos amigos, cuando en la Avenida de la Hispanidad vimos el taxista y yo un grupo de guardias civiles intentando ordenar el tráfico. «Ahí ha pasado algo», pensé.

—Ahí ha pasado algo —dijo el taxista.

Unos metros más allá, había junto a la acera un bulto envuelto en papel de aluminio. Para ser un bocadillo de mortadela era muy grande, pero para ser un cadáver resultaba pequeño. Creo que eso es lo que impresionaba de él: que aun sabiendo que se trataba de un cadáver, la primera imagen que te viniera a la cabeza fuera la de un bocadillo de mortadela.

—Parece un bocadillo de mortadela —señaló el taxista.

—Vaya más despacio, por favor.

De pie, junto al bulto, había una guardia civil muy joven haciendo señas a los conductores para que se separaran un poco, no fueran a pisarle el bocadillo. Todos los ocupantes de los vehículos, sin excepción, asomaban la cabeza con una mirada de avaricia: contemplaban esa muerte como si fuera un anticipo de la propia. La policía hacía gestos a los conductores para que no se detuvieran. «Parece que lo único importante es que no se interrumpa el tráfico», pensé.

—Qué vida, lo único que importa es que no se interrumpa el tráfico —apuntó el taxista como un eco.

Junto al cadáver había una chaqueta arrugada, y un zapato negro con la puntera cuadrada: parecía un ataúd pequeño.

—Fíjese en el zapato, parece un ataúd —señaló el taxista.

En esto, un guardia civil se acercó a nuestro automóvil para indicarnos que aceleráramos. En seguida, entramos en una zona de normalidad, pero yo me sentía mal, como si hubiera dejado de hacer algo que, en conciencia, tendría que haber hecho, aunque no sabía qué era. Pensé que si hubiera sido creyente, habría musitado una oración, y si hubiera sido fotógrafo, le habría sacado una foto.

—Yo tendría que llevar una máquina de fotos en el coche —dijo el taxista—, porque estando todo el día en la calle siempre ves algo raro. Un compañero mío que se acaba de jubilar llevaba siempre una cámara, y ahora va a hacer una exposición en el centro de la tercera edad del barrio con todas las fotografías que ha sacado a lo largo de su vida. A los muertos, antes, los tapaban con una manta.

—La manta es más caliente —dije yo.

—Me lo ha quitado de la punta de la lengua, es lo que le iba a decir ahora mismo, que el papel de aluminio será muy higiénico, pero resulta frío, ¿no?

Yo continuaba con un malestar difuso; estaba por decirle al taxista que diera la vuelta para pasar otra vez junto al cadáver y rezarle una oración, aunque se tratara de una oración atea. Pero me daba vergüenza, qué iba a pensar de mí.

—¿Quiere usted que demos la vuelta? —preguntó.

—¿Para qué vamos a dar la vuelta? —gruñí francamente molesto ya por esta invasión continua de mi intimidad.

—Para rezar una oración —dijo—; no soy creyente,
pero me da no sé qué pasar junto a un muerto de ese
modo.

—Bueno —concedí, pero al ver lo que marcaba el
taxímetro tuve un pensamiento ruin que intenté tapar,
tarareando mentalmente una canción, para que el taxista
no lo oyera. De todos modos, debió de oírlo, porque
en ese momento estiró el brazo y lo desconectó. Entonces me sentí muy mezquino, y me puse a llorar justo
cuando pasábamos junto al fiambre. Esa noche dormí
de un tirón, como si se hubiera diluido en el llanto un
nudo antiguo que entre el taxista y el muerto habían
logrado desatar.

RETALES DE CONVERSACIÓN

—USTED tiene que oír aquí de todo, ¿no? —le pregunté al taxista.

—De todo, sí, pero pedazos de todo nada más. Al
principio, llevaba una libreta y apuntaba las frases con
la idea de que en su día podrían tener algún valor, pero
son restos, ya le digo. Lo mismo que encontraría usted
en un cubo de la basura. Las frases que se pronuncian
en el taxi son como mondas de naranjas. No sirven para
nada.

—Sé de un tipo que se hizo rico cogiendo papeles
de la papelera de un banquero y vendiéndoselos a sus
enemigos.

—No es lo mismo; un papel lo desenrollas y a lo
mejor encuentras una carta. O un enemigo. Pero qué
sentido tiene, por ejemplo, una conversación como la
que acabo de oír. Resulta que, antes que usted, se me
han subido dos tipos en Amaniel, salían de los apartamentos Love, y le pregunta uno a otro que cómo seguía
Ricardo. Y el otro dice que mal, muy mal...

Tuve un movimiento de aprensión porque yo me
llamo Ricardo, así que le pregunté por el aspecto que
tenían esos hombres.

—Uno era alto con bigote. Se me ocurrió que era

médico, porque dijo: «Está preocupado con lo del riñón, pero si mejora un poco, que no lo creo, la verdad, tiene que darse cuenta de lo nuestro porque es que es muy descarado ya. Nos vemos a todas horas».

Estuve a punto de decirle al taxista que se callara, quién me manda a mí hablar con los taxistas. El caso es que yo también ando fastidiado con el riñón, he tenido dos cólicos frenéticos, o nefríticos, no sé, y me está tratando precisamente un cuñado mío que es médico y tiene bigote. Además, mide 1,85.

—¿Qué cree que querían decir con lo de *lo nuestro*? —pregunté aparentando indiferencia.

—No sé, yo creo que éste, el del bigote, engañaba al tal Ricardo con su mujer, pero Ricardo no se entera porque está muy preocupado con lo del riñón. Y por lo que les oí decir, tiene razones para preocuparse.

Me puse blanco. Luego, empecé a sudar de miedo y mientras sudaba me acordé de que nunca me habían gustado las confianzas que mi mujer se tomaba con mi cuñado, ni el dolor éste del riñón, que me dio al año de casarme. El taxista, afortunadamente, se había callado, de manera que conseguí racionalizar la situación y me di cuenta de que todo eso era un disparate. Qué iba a hacer mi cuñado en los apartamentos Love de la calle Amaniel. Además, ¿por qué tenía que tratarse de mi cuñado? Había comenzado a sonreír por todas estas coincidencias, cuando añadió:

—Para mí que el del bigote está envenenando al tal Ricardo con una sustancia que le ataca al riñón.

La angustia me volvió de golpe.

—Déjelo usted ya, por Dios —rogué—. Por cierto, cómo era el otro.

—Como usted de alto, con gafas. Comentó que el

tal Ricardo era un gilipollas, pero que tenía una naturaleza de hierro. También era médico, me parece, porque le aconsejó al otro aumentar la dosis en términos muy técnicos.

Resulta que tengo otro cuñado que es como yo de alto y que lleva gafas. Además, siempre se ha creído que soy un gilipollas porque no aguanta que le gane al tenis, y es que yo, antes de lo del riñón, era un deportista.

—Mondas de naranja, como usted ve, desperdicios de conversaciones que no sirven para nada. Eso es el taxi.

—Claro —añadí yo pidiéndole que diera la vuelta y me llevara corriendo al Ramón y Cajal. Qué vida.

No te fíes de nadie

Yo le doy la razón a todos los taxistas, digan lo que digan. Hay algunos que se cagan en la democracia sin preguntarte si eres demócrata o republicano, y yo les digo que muy bien, que se caguen, porque ya he comprobado que si no digo nada me lo explican, y a estas alturas da mucho asco que te cuenten todo el proceso metabolizador que ha conducido a que se caguen en la democracia. El problema de decirles que sí a todo es que se van creciendo y entre Moncloa y Velázquez te dan una conferencia de algo. Peor son los silenciosos, porque ésos te miran por el retrovisor como si fueran cagándose en tu madre todo el rato.

Estos días tan señalados he estado haciendo un muestreo sin valor estadístico para ver cómo se respira dentro del taxi y, mira por dónde, ayer mismo cogí uno cuyo conductor me soltó un dossier según el cual en el mundo del taxi se mueven cinco mil intrusos que generan unos 50 millones de dinero negro cada día.

—Claro —dije (ya digo que les doy siempre la razón).

—¿Quiere usted saber quiénes son esos intrusos?

—Bueno.

—Policías y bomberos. Mayormente, policías.

—¿Y los que se cagan en la democracia cuando subes al coche son policías o bomberos?

—Hay de todo.

Me dejó en Cibeles y tomé otro taxi. Dije que me llevara a Ópera y en el primer atasco me cagué en la democracia, a ver qué pasaba.

—Eso lo llevo yo diciendo veinte años.

—¿Y usted es asalariado o autónomo? ¿Bombero o policía?

—Yo soy lo que me sale de los cojones, sabe usted.

—Sí, señor.

Deduje que había puesto el dedo en la llaga y decidí proseguir mi investigación. Esta vez lo cogí en Neptuno y le pedí que me llevara a Móstoles para que nos diera tiempo a charlar. Lo primero que me sorprendió es que llevaba un cartel bien visible que decía: *Puede usted fumar.*

—Vaya —dije—, es la primera vez que veo ese cartel.

—Y eso que yo no fumo, lo dejé el mes pasado.

—Pues es un rasgo de tolerancia que le honra.

—Claro que sí, hombre, hay que aceptar a los otros como son.

En eso se cruzó un ciclista y tuvo que dar un frenazo. Decidí probar.

—Me cago en la democracia —exclamé.

El hombre me miró con gesto de paciencia por el retrovisor y dijo que qué tenía que ver la velocidad con el tocino. En seguida le di la razón y le conté que estaba investigando por mi cuenta los comportamientos del taxi en Navidad.

—Que por cierto —añadí—, me han dicho que hay mucho intruso.

—Mucho, al taxi nos dedicamos muchos policías que ni cotizamos ni nada. Además si nos paran por cualquier cosa, como nos para un colega, no pasa nada. Usted haría lo mismo, porque el ser humano es, por naturaleza, corporativista.

—Los escritores, no —dije—; se llevan muy mal. Sé de algunos que, si fueran policías, se pasarían el tiempo deteniéndonos a los otros. O denunciándonos.

—¿Por intrusismo?

—O por fumar, según.

—¿Y usted es fumador o intruso?

—Las dos cosas.

—Pues queda detenido —dijo mostrándome la placa.

—¿Pero usted es taxista o policía?

—Yo soy escritor, imbécil. Y te la has cargado.

¿Somos felices?

DEJÉ a mi mujer en la cama, porque desde que está en el paro hemos perdido la costumbre de desayunar juntos, y salí corriendo a la calle. A los diez minutos de aguardar en la parada no había pasado ningún autobús, así que tomé un taxi y empecé a morderme las uñas pensando que ese mes ya había fichado tarde un par de veces. En esto oigo que por la emisora del taxi piden un coche para recoger a alguien en la calle Elfo y pienso para mí que qué casualidad: ahí vive un amigo de toda la vida: Federico. Fuimos juntos al colegio; sacó el bachillerato adelante gracias a mí, que le pasaba todos los apuntes. Luego hicimos la mili en el mismo sitio, aunque él estaba enchufado y en seguida le dieron el pase *pernocta*, así que no llegó a saber lo que era la vida de cuartel. Más tarde coincidimos también en la universidad, aunque yo no pude terminar los estudios, porque a mi padre, que padecía de los nervios, le dieron la inutilidad permanente y con un sueldo de inútil no llegábamos, de manera que tuve que ponerme a trabajar en seguida. El primer empleo, precisamente, me lo facilitó el padre de Federico, que tenía un almacén de maderas en Hermanos de Pablo. Nosotros vivíamos en la Concepción. Mi madre decía que Federico y su padre se aprovechaban de mí, pero yo siempre he valorado mucho la amistad y no le hacía caso.

Mientras pienso estas cosas, va la señorita de la emisora y dice que el número de Elfo en el que hay que recoger al pasajero es el 56, y yo voy y me río por dentro. También es casualidad: justo el portal de Federico. Hace tiempo que no le veo, pero da igual, somos como hermanos. O sea, que si mañana necesito algo de él, no tengo más que llamarle. En eso se nota la amistad, en que llamas a un amigo al que a lo mejor hace dos años que no ves y sabes que lo tienes ahí, para lo que haga falta. Yo, siempre que Federico me ha llamado, lo he dejado todo para echarle una mano. Le he echado más manos que él a mí, pero no me gusta tener estos pensamientos porque me parecen mezquinos, así que los rechacé y continué escuchando a la señorita de la emisora.

Parece de cuento, pero después de dar la dirección completa va y dice que el señor al que hay que recoger se llama Federico Vara, así que doy un salto en el asiento y grito:

—¡Mi amigo de toda la vida! Hicimos la mili juntos.

El taxista era un poco antipático y no dijo nada. Yo estaba emocionado. Esa misma tarde llamaría a Federico «¿A dónde ibas tú esta mañana en un taxi?» Estaba gozando por anticipado de la conversación, cuando va la de la emisora y dice que hay que llevar al señor ese de la calle Elfo al número 77 de la calle María Moliner, que es donde vivo yo. Otra casualidad: mi calle y mi número. Empecé a reírme yo solo y como noté que el taxista se revolvía en el asiento, le digo:

—Es que en el 77 de María Moliner vivo yo.

—¿Y está usted casado?

—Sí.

—¿Y el tal Federico es amigo suyo?

—Como hermanos.

—Ya —añadió y regresó al silencio.

En ese instante me di cuenta de lo que estaba pasando y me eché a llorar. El taxista, que no era tan malo, me llevó a un bar y me obligó a tomar una copa de anís. Yo jamás había desayunado anís, pero recuerdo que me gustó, por eso estoy tan seguro de que fue ese día cuando comencé a alcoholizarme. Ella, que sigue en el paro, continúa viéndose con Federico a primera hora, cuando yo salgo de casa para encontrarme con la primera botella del día. Los dos (¿o debería decir los tres?) tenemos, pues, una razón para despertarnos. ¿Pero somos felices?

ORACIONES METRO A METRO

Cogí el metro en Canillejas, me senté y fui pasando las estaciones con expresión devota. Torre Arias, Suanzes, Ciudad Lineal, Pueblo Nuevo, Quintana, El Carmen, Ventas... Si entre túnel y túnel vas repitiendo el nombre de las estaciones con los ojos cerrados, la retahíla acaba transformándose en una oración. Por lo menos, eso es lo que le decía el tipo que iba a mi lado a un discípulo pálido. Los miré de reojo y vi que bajaban los párpados y comenzaban a susurrar: Diego de León, Núñez de Balboa, Rubén Darío, Alonso Martínez, Chueca... Cuando llegaban a Ópera, empezaban otra vez por Canillejas y la cosa sonaba como un salmo que te iba apartando de las miserias de este mundo. De súbito, abrieron los ojos y se quedaron mirando al vacío.

—Qué has visto —preguntó el maestro.

—No sé, un rostro. San Juan Bosco, quizá.

—Cuando has abierto los ojos, no; cuando los tenías cerrados.

—Ah, me parecía que iba en un tren que recorría la semana. Cada día era una estación.

—¿Y qué pasaba?

—Nada. Bueno, sí: el lunes ni te lo cuento, pero en el martes estaba mi viejo con una chica joven. Cuando iban a entrar, se cerraban las puertas y mi viejo se quedaba mirándome con pena mientras nos alejábamos en dirección al miércoles. Allí estaba mi vieja, que entraba y me preguntaba por papá. Cuando le decía que lo había visto en el martes se ponía a llorar, porque por lo visto no salen trenes para volver al martes hasta el domingo. No le conté lo de la chica, claro.

—Tonterías, no ves más que tonterías. Tienes que concentrarte más. A ver, vamos a repetir la letanía básica, empiezo yo: Begoña, Herrera Oria, Lavapiés.

—Esperanza, Valdeacederas, Tetuán.

—Cuzco, Cuatro Caminos, Opañel.

—Campamento, Guzmán el Bueno, Concepción.

—Bien, ahora repítelo todo entero tú solo en voz baja a mucha velocidad.

—¿Y qué es lo que tengo que ver?

—Arquetipos, imágenes telúricas, guerreros.

—O sea, El Señor de los Anillos.

—Para eso hemos bajado a las profundidades, porque para donde íbamos nos venía mejor el autobús.

El discípulo pálido se concentró y al rato tuvo que confesar que no conseguía ver otra cosa que no fueran los días de la semana.

—Si tuviéramos una papelina —se lamentó.

—Déjate de papelinas, eso está bien al principio para expandir la conciencia, pero nosotros ya estamos expandidos.

—Pues no sé. El caso es que esta vez no he visto a mi viejo en el martes ni a mi vieja en el miércoles y ahora estoy preocupado. Así no puedo concentrarme.

—¿Has mirado en el jueves?

—En el jueves no ha parado esta vez el tren, no sé

por qué. La estación estaba oscura y sucia, como des-habitada.

—A lo mejor era una estación de Berlín oriental. Antes se veían así, tapiadas.

—Yo nunca he estado allí, así que no sé cómo eran.

—Eso no puedes asegurarlo; yo un día cogí el metro en Pirámides y salí en San Sulpicio, que está en París.

Cerré los ojos y recé entera la línea 4, que me gusta mucho. Entonces tuve la visión de los días de la semana y me pareció ver en el domingo al padre del muchacho pálido con una chica joven, pero cuando abrí los ojos para decírselo habían desaparecido.

Ella empezó a mirarme en Ríos Rosas

Me metí en la línea 1 del metro porque creo que es la más larga y te da tiempo a todo. Estaba dispuesto a contar el número de los que entraban y salían en cada estación para ver si podía relacionar una cantidad con otra y descubría algún secreto numérico semejante a los de las pirámides de Egipto. Trabajo para una revista de temas esotéricos y al director le encanta que le vayas con historias de éstas. Al final me di cuenta de que era imposible llevar la contabilidad, incluso si te concentras en un solo vagón, y escribí un rollo, que también gustó mucho, sobre la gente que parece que va a entrar, pero al final se queda fuera, y la que parece que va a salir, pero al final se queda dentro. Afirmé que el fenómeno ocurría sobre todo en Bilbao y el caso es que recibimos en la redacción un montón de cartas dándonos la razón. Gente que vivía en esa zona nos contaba que tenía que coger el metro, o bajarse de él, en la parada anterior, o en la posterior, porque había una fuerza magnética que les impedía hacerlo en esa parada. A veces, con estas cosas, aciertas sin querer. La cuestión es que desde entonces yo mismo me quedo como paralizado siempre que paso por Bilbao, donde, por otra parte, está la redacción de la revista.

Pero a lo que iba es que una vez que renuncié a contar a los que entraban y salían, me concentré en una chica de pelo corto que iba junto a la puerta y que no dejaba de mirarme desde Ríos Rosas. Pensé que a lo mejor me conocía de la revista esotérica, porque dan mis artículos con una foto, aunque a veces se equivocan y meten la de un imbécil que tiene un apellido parecido al mío y que está especializado en apariciones marianas. El caso es que me acerqué un poco y comencé a mirarla yo también, aunque procurando que mi mirada no resultara tan impertinente como la suya.

Entonces, de súbito, me di cuenta de que la chica respiraba. Ya sé que todo el mundo respira, no es eso, lo que quiero decir es que vi su respiración, como si la hubieran coloreado para distinguirla del resto de la atmósfera. O sea, que veía el caudal de aire que entraba por sus narices, porque aspiraba por las narices, y luego lo veía salir por la boca un poco desgastado por el uso que las células o las bacterias habían hecho de él dentro de su cuerpo. Era fascinante y un poco enloquecedor en el mejor sentido, porque si le ves a alguien el aliento de ese modo es como si le vieras el alma y, claro, cuando le ves el alma a alguien te enamoras, aunque sepas que te va a hacer daño.

En esto, advertí que también mi respiración se diferenciaba del resto del aire y que ella podía verla como yo la suya. Entendí por qué había empezado a mirarme con esa intensidad en Ríos Rosas. Entonces, aunque estábamos como a medio metro de distancia y había una cabeza oscilante entre los dos, nuestras respiraciones empezaron a jugar, quiero decir que se encontraban a medio camino y luego iban de su boca a la mía ejecutando formas que nos hundían en el delirio y nadie más que ella y yo nos dábamos cuenta, y era como hacer el amor, como follar quiero decir en medio de todo el mundo. Y el ruido del tren era en realidad un aullido de placer, pero sólo ella y yo lo sabíamos.

Desde entonces, coincidíamos sin hablar todos los días en la estación de Plaza de Castilla y nos hacíamos la línea 1 entera sin parar de follar, con perdón, ya digo, con nuestros alientos. Lo que pasa es que un día ella se bajó en Bilbao indicándome que la siguiera con la mirada. Pero como yo no puedo apearme en Bilbao por esa cosa paranormal que decía antes, me quedé dentro y ella se ha debido imaginar que me he cansado porque no he vuelto a verla en esta línea.

Cómo evitar un terremoto

Como el metro está lleno de bocas, no me costó imaginar que se trataba de un monstruo mitológico, sediento de cuerpos, al que había que sacrificar diariamente cientos de miles de doncellas y de jóvenes que, como yo, se introducían sumisamente entre sus fauces para calmar su ira. Si le das un sentido a lo que haces, cuesta menos llevarlo a cabo, por doloroso que sea. Yo estoy harto de montar en metro, y de ir a la oficina a ganarme la vida. La verdad es que estoy harto de todo, también de la existencia; por eso imagino cosas que no son, para soportar la existencia, que es un valle de lágrimas, un destierro, aunque no sepamos de qué clase de patria hemos sido expulsados, sobre todo los que no hemos hecho nada. Así que esa mañana imaginé que el metro era un monstruo mitológico, ya digo, con un estómago tan grande que necesitaba una boca en cada barrio para calmar su sed de cuerpos.

En cuanto a mí, me hice a la idea de que era una croqueta de jamón y me dejé devorar por la boca de Canillejas a las siete de la mañana. Las magnitudes de aquellas fauces eran impresionantes, pero el monstruo debía de ser muy viejo, o quizá necesitaba una limpieza de boca: miraras donde miraras, sólo veías sarro, sarro por todas partes. Yo creí que los monstruos mitológicos eran más limpios, la verdad. Recuerdo que iba junto a otros cientos de croquetas, que habían sido engullidas de un solo bocado por aquella bestia insaciable, cuando vi a mi lado a una chica de diecisiete o dieciocho años que me conmovió mucho; era preciosa, de película, digna de ser sacrificada a un dios y no a aquella porquería de animal desdentado y con halitosis. Descendíamos hacia el estómago a toda velocidad, lo noté porque las paredes agrietadas de esa zona segregaban jugos digestivos, aunque el funcionamiento de las glándulas secretoras era tan deficiente que parecían goteras. Con un poco de imaginación, podías hacerte a la idea de que en lugar de encontrarte en las entrañas de un gigante, estabas debajo de la tierra, en el metro, por ejemplo, de camino a la oficina.

Así que cerré los ojos y comencé a visualizar en mi interior un vagón al tiempo que repetía mentalmente: «estoy en el metro, en el metro, en el metro, en el metro...». La letanía empezó a funcionar, y al poco me convencí de que los movimientos peristálticos y antiperistálticos del intestino que nos digería eran en realidad las sacudidas normales de un convoy lleno de pasajeros. No lo hice por mí, a mí no me importa ser devorado, he nacido para eso, para que me devoren, pero sentía una piedad muy especial por aquella chica y preferí pensar que en lugar de estar siendo digerida, se dirigía a una academia.

Al llegar a Ópera, el proceso digestivo cesó y fuimos expulsados al exterior al mismo tiempo; yo debía de tener un aspecto espantoso, de vergüenza, pero ella continuaba intacta a pesar de la cantidad de bilis que el hígado de la bestia nos había arrojado por encima. Sin duda, se trataba de una diosa mitológica. Lo sé porque desde aquel día veo cómo es tragada por la boca del monstruo en Canillejas, a las siete, y la sigo hasta Ópera, donde desciende intacta media hora más tarde, como si, en lugar de salir de un aparato digestivo, surgiera de una concha marina. Yo continúo dejándome comer, porque sé que si el monstruo nota un día mi ausencia, se incorporará furioso desde las profundidades en las que habita, rompiendo el pavimento al juntar todas sus cabezas. Es lo que técnicamente se llama un terremoto, un terremoto que gente como yo y como mi diosa mitológica logramos evitar día a día ofreciéndonos a la bestia en Canillejas, aunque aliviamos la digestión imaginando que en realidad se trata de un medio de transporte en el que nos dirigimos a ganarnos la vida.

La identidad de las lentejas

A la puerta de la boca del metro de Prosperidad había un tipo que vendía lupas que no aumentaban. No eran caras, pero el precio parecía más grande si se tenía en cuenta que resultaban completamente inútiles.

—Es que esta clase de lupa no aumenta la cantidad de las cosas —dijo el vendedor ante mis dudas—, sino su cualidad.

Se colocó una lenteja en la palma de la mano y aplicó sobre ella el vidrio invitándome a mirar.

—Fíjate bien —insistió—, al aumentar la cualidad de lenteja, lo que puedes ver con esta lupa es, digamos, la lentejidad, o sea, aquello que hace que una lenteja sea una lenteja. ¿No ves ese nervio diminuto que atraviesa el óvalo? ¿Y esos poros simétricamente dispuestos en torno al perímetro del disco? Eso es lo específico de esta leguminosa. A una lenteja le quitas el nervio y los poros y no queda más que un montoncito de materia que lo mismo podría corresponder a un garbanzo que a un hígado. Ya sabes que en última instancia la composición química de todos los organismos es la misma. O sea, que entre un mosquito y tú no hay gran diferencia, sin embargo hay algo que hace que el mosquito sea mosquito y que tú seas tú. Esta lupa te permite

precisamente acceder al conocimiento de la mosquiti-
cidad.

—¿Y eso de qué me sirve?

—Hombre, de mucho. En tiempos de crisis la esencia es más importante que el tamaño.

Compré una y me metí en el metro. Mientras llegaba el tren, vi una pintada que decía: «¿Por qué me
engañas? O te quedas o déjame marchar.» La volví a
leer a través de la lupa que aumentaba la cualidad de
las cosas y de súbito comprendí la esencia misma de la
desesperación. Cambié de valla publicitaria y leí: «Los
currelas antes luchaban, ahora pasean.» Qué curioso,
pensé, antes de tener la lupa no me había dado cuenta
de la sustancia de la curreleidad en nuestros días. En
esto, se oyó el ruido del tren y me puse la lupa en el
ojo para verlo venir: no se trataba de un tren cualquiera,
sino de la misma trenidad.

Me apeé en San Bernardo y fui paseando hacia la
Gran Vía sin dejar de estudiar con la lupa la cualidad
de las cosas. La calle estaba muy cochina, pero yo, en
lugar de ver lo sucio, veía la suciedad. En Pozas entré
en un bar lleno de gente que había sido arrojada allí por
el paro, y al mirarla a través del vidrio vi la paridad de
la que hablan los economistas. En la mesa de al lado
lloraba una mujer; le miré la cara y vi la caridad. Le
pregunté que qué le pasaba.

—Estoy embarazada —respondió.

Le dije que eso debía constituir un motivo de gozo,
pero ella me explicó que tenía un contrato eventual en
una empresa de la que con toda seguridad la echarían
cuando supieran que iba a tener un hijo.

—Y estamos pagando el piso —añadió—, no podemos prescindir de mi sueldo.

Otras mujeres me habían contado historias parecidas, pero en esta ocasión, en lugar de escuchar lo mismo, oí la mismidad y la mismidad debe dar mucho vértigo, porque me sentí mareado y tuve que salir. Volví a San Bernardo, alcancé la Gran Vía y desde allí subí a Callao. Por el camino había de todo lo que uno se puede imaginar, pero yo en lugar de verlo todo veía la totalidad, de manera que cuando llegué a la plaza, aunque ya era de noche, me detuve para contemplar desde allí la capital, y en lugar de eso vi el capitalismo. Entonces miré a los transeúntes en busca de un poco de ánimo, pero comprobé que sólo transmitían animosidad.

CALLES

EL HIJO DEL SEÑOR DEL PIJAMA

Volvía de cenar con unos amigos cuando por delante de mi coche pasó corriendo un sujeto mayor en pijama. Lo vi alejarse con la curiosidad con la que miras una rata en un subterráneo, cuando de súbito reparé en que no era una rata. La calle Bailén estaba desierta a esas horas, de manera que un elemental instinto de prudencia me aconsejó dejarlo estar. Lo que pasa es que la conciencia no dejaba de decirme que entre un hombre en pijama y una rata todavía hay alguna diferencia, lo mismo que entre un subterráneo y la calle Bailén, aunque esto último parece que quieren arreglarlo.

El caso es que di la vuelta y conseguí alcanzarle a la altura de la calle Mayor.

—¿Le pasa algo?

—Tengo un infarto. Necesito un hospital.

Le invité a subir y dejándome guiar por él llegamos a la plaza de Cristo Rey, desde donde subimos por una cuesta que iba a dar a un sitio que no sé cómo se llama, pero que tenía un cartel de urgencias. Antes de que se lo tragara un pasillo blanquecino a través de una puerta batiente, le pregunté si quería que diera aviso a algún familiar.

—Ni se te ocurra —contestó el viejo con firmeza.

Me iba a marchar, pero me dio no sé qué, aunque ya eran las dos de la madrugada y al día siguiente tenía que levantarme pronto. En la sala de espera había una máquina de café, de manera que decidí esperar lo que dura un cigarro y una taza. Las paredes tenían azulejos blancos y los rostros estaban alicatados de dolor hasta las cejas.

—¿Era su padre el señor del pijama? —preguntó una anciana que nos había visto llegar.

No sé por qué, pero aunque coloqué la lengua y los labios en la posición correcta para decir que no, me salió que sí.

—El corazón —añadí con un gesto de dolor no fingido.

—Se curará, lo de mi nieto es peor.

En esto, salió una enfermera y preguntó si yo era el hijo del señor del pijama. Tuve que decir que sí para no quedar mal.

—Se lo devolvemos en seguida, sólo tenía una bolsa de gases que le oprimía el pecho.

Al poco salió el hombre con cara de alivio y con una bata que le habían prestado sobre el pijama. Mientras nos dirigíamos al coche, vi una cabina telefónica y pensé que mi mujer estaría preocupada. La llamé:

—Que se ha puesto mi padre malo y lo he tenido que llevar a Urgencias. Tardaré un poco todavía.

Noté que no se lo creía, porque soy huérfano desde niño, pero colgué antes de que tuviera tiempo de decir nada. Cuando me vi dentro del coche con papá, él y yo solos después de tantos años, sentí una alegría inconcebible. Dijo que quería dar una vuelta, así que salí a Princesa por Isaac Peral y enfilé hacia la plaza de España. Él me iba contando cómo había cambiado todo desde que yo era pequeño. En Alberto Aguilera, me explicó, había un paseo central muy agradable. De súbito, recordé haber paseado de la mano de él por aquellos bulevares; era un domingo por la mañana y me llevaba a conocer el Parque del Oeste. Estuve a punto de contarle el recuerdo, pero no quise tentar la suerte porque hacía tiempo que no era tan feliz.

—Hijo, vamos a dar una vuelta por la Gran Vía.

Me emocionó tanto que me llamara hijo que casi se me saltan las lágrimas. Entonces le dije que era cardiólogo y le hice prometer que me llamaría cada vez que tuviera un crisis. Aún no me ha llamado, pero la próxima vez, después del hospital, nos vamos los dos al Parque del Oeste.

MUERTE EN PRECIADOS

TENGO un sexto sentido para identificar a los detectives, así que supe en seguida a qué se dedicaba aquella mujer. Estaba dentro de un coche bien aparcado, en la calle Preciados, y vigilaba un portal del que salía gente con aspecto de trabajar en el edificio. Yo estaba comiéndome unas gambas al ajillo en la barra del restaurante Tres Encinas, mientras contemplaba a través del escaparate, con la curiosidad de un entomólogo, los movimientos de los transeúntes. Al otro lado de la acera había un establecimiento llamado Bocata World, donde muchos trabajadores de la zona tomaban un tentempié a esa hora.

La detective no fumaba ni leía revistas. Si te acostumbras a esperar, ya no necesitas de esas distracciones para quedarte quieto. Cuando yo terminaba mis gambas, la detective sacó de la guantera un bocadillo y le dio tres mordiscos sin pasión antes de volver a guardarlo. Luego destapó un termo de café y tomó un par de sorbos. A continuación, sorprendentemente, se quedó dormida. Era muy joven y me conmovió este descuido, así que pedí un té con limón, encendí un cigarrillo, y decidí relevarla en la vigilancia del portal. Al poco, salió un sujeto de unos cuarenta años, con el nudo de la corbata a media asta. Supe que se trataba del vigilado porque tengo un sexto sentido también para identificar a los perseguidos. Miró a un lado y otro de la calle, sin reparar en la detective dormida, aunque su coche estaba frente a él, y comenzó a andar hacia Callao: pagué corriendo y le seguí. Entró en la FNAC, donde compró Las Confesiones de San Agustín y una guía turística de Roma. Luego bajó a la sección de ordenadores y estuvo mirando precios. Creo que se había dado cuenta de que le seguía porque me echó un par de miradas de reojo. Yo, en principio, ya digo, había decidido solidarizarme con la mujer, pero al sentirme descubierto decidí traspasar mi apoyo al perseguido. Así que me puse junto a él y se lo dije:

—Lleve cuidado, creo que le están siguiendo.

—Lo sé —respondió con resignación—. El obispado no confía en mí. ¿Es usted el diablo?

—No, soy un particular. Es que reconozco a los detectives en seguida y he visto a uno aguardando a que saliera usted del portal de Preciados. Se trata de una mujer.

—¿Y por qué me previene si no es usted el diablo? Cuando mis superiores han decidido seguirme, será porque lo consideran bueno para mí.

De manera que me enteré de que era cura, aunque quizá tendría que haberlo deducido antes, por sus compras.

—Creo que van a enviarme a Roma —añadió—, ese es el sueño de mi vida, pero antes quieren cerciorarse de que mi conducta es intachable. En otra época fui un poco mujeriego.

Me ofrecí a despertar a la detective para informarle de que lo único que había hecho durante su sueño era comprar un libro de San Agustín y una guía de la Ciudad Santa. Pareció agradecérmelo, de manera que volvimos juntos a Preciados, donde vimos un gran tumulto en torno al coche. Unos guardias municipales habían sacado el cuerpo de la detective colocándolo en la acera, sobre una manta. Llevaba minifalda, pero estaba muerta. El cura, tras un momento de duda, se agachó y le dio la extremaunción por si su alma permaneciera aún unida a los pulmones. Luego se incorporó y desapareció de mi vista entre el grupo de curiosos. Un policía sacó el termo de la guantera y al destaparlo para olfatear su contenido, percibí un fuerte olor a azufre: el aroma del diablo cuando se volatiliza. Comprendí que el supuesto cura era, en realidad, Satán, de manera que escribí en seguida al obispo, para que no lo envíe a Roma. Pero aún no me ha contestado.

UN TIPO QUE ERA MÁS FELIZ QUE YO

No sé por qué empecé a mirar a aquel sujeto que se había sentado frente a mí en el autobús; el caso es que una vez que le eché el ojo ya no pude dejar de contemplarle. Producía la impresión de constituir una unidad territorial autónoma en medio de aquel conjunto de cuerpos menesterosos que éramos conducidos dócilmente hacia la Avenida de América. No había docilidad en su gesto, sino ese tipo de mansedumbre apacible que sólo proporciona la sabiduría. Al principio me pareció un excéntrico, pero su imperturbabilidad empezó a irritarme en seguida.

Le observé de forma impertinente para ver si se ponía nervioso, pero cada vez que nuestros ojos coincidían él parecía ver algo que no era yo. Daba la impresión de mirar cosas que no estaban dentro del autobús. Decidí seguirle; no soy detective ni nada parecido, pero a veces me fijo en un tipo cualquiera y le persigo una o dos horas imaginando que me juego la vida. La semana pasada seguí a uno que a su vez estaba imaginando que le perseguían; al final nos hicimos amigos y hemos quedado en hacer juntos algunos seguimientos, aunque a él le gusta más que le persigan. Es un enfermo. La verdad es que no te das cuenta de esto hasta que no te metes en el asunto, pero en Madrid todo el mundo sigue a alguien o es perseguido por alguien, ignoro con qué objeto.

El caso es que se bajó en Diego de León y yo fui detrás de él dispuesto a averiguar —y a desbaratar si me era posible— la causa de su felicidad. Subió hasta Francisco Silvela y torció a la derecha, en dirección a Manuel Becerra. Caminaba despacio, aunque con ritmo, como si fuera recitando en voz baja una sucesión armoniosa de sílabas. Al poco se detuvo frente al escaparate de una tienda de bricolage y permaneció ensimismado en su contemplación más de diez minutos. Tiritaba de gusto, como si estuviera dentro de la cabina de un *sex shop*. Yo odio el bricolage, de manera que me limitaba a tiritar de frío, sin mezcla de gusto alguno. Por un momento pensé que se había dado cuenta de mi presencia, y temí que se tratara de otro degenerado de esos que encuentran placer en ser perseguidos.

En Manuel Becerra entró en una farmacia y compró algunas cosas que no vi, pues me pareció más prudente esperar fuera. Luego lo seguí hasta un bar desde donde habló por teléfono con su oficina excusándose por no ir a trabajar, aunque no entendí la causa. Algo oscuro tramaba y yo estaba allí para averiguarlo. Pidió un café con una tostada y un vaso de agua. Luego abrió el paquete de la farmacia y sacó una caja de Frenadol y un jarabe. Se preparó el Frenadol y se lo tomó antes del café, como si fuera un zumo de naranja. Lo hacía todo muy despacio, como si en lugar de estar en Manuel Becerra nos encontráramos en el interior de un templo tibetano. A mí lo que más me cargaba era eso: que no tuviera tensiones aparentes, ni prisa, ni necesidades.

De súbito, comprendí lo que pasaba: aquel hombre

tenía la gripe. Empecé a pensar en los primeros síntomas, cuando la fiebre es una promesa cuyos hilos de plata recorren las ingles y los codos provocando esos calambres tan dulces que encogen los tejidos. Recordé también el dolor estimulante de las articulaciones, que ronronean como una amante satisfecha, y después me vino a la memoria la calidad de esa especie de niebla que la gripe coloca entre la realidad y tú. Sentí una nostalgia terrible porque la verdad es que desde que me ocupo de los seguimientos apenas cojo enfermedades. De manera que abandoné la persecución, me fui a casa y proclamé la llegada de la gripe como otros proclaman el advenimiento de la república. Mi madre acaba de pasarme una taza de caldo y soy muy feliz, aunque tengo la impresión de que alguien me ha seguido hasta el portal.

Los desaparecidos miden 1,80

No sé ni cómo se me ocurrió, la verdad. O quizá sí: de verlo en el periódico seguramente. El caso es que pasé por delante de un fotomatón que hay en Velázquez esquina a General Oraa, cerca del banco donde tengo la cartilla de ahorros, y no me lo pensé dos veces. Entré y me saqué una foto que reflejara lo peor de mí. Esas máquinas, los fotomatones, tienen un selector de rasgos que elimina lo poco de bueno que nos queda, o sea, que poseen la mirada del enemigo. Yo, cuando miro a mi jefe, del que todo el mundo dice que tiene muy buena pinta, lo veo con la mirada del fotomatón, y desde esa óptica moral les aseguro que está bizco; bueno, no exactamente bizco, pero tiene un ojo un poco extraviado en la misma dirección sexual que El Dioni. Y eso no se lo ha notado nadie, excepto yo, porque comparto con los fotomatones la habilidad de ver lo peor que tienen las personas.

Resulta que los colores de la foto se habían corrido un poco y salí fatal, con una expresión de desvarío que daba miedo verme. Además, aunque tengo el pelo liso y flojo, en la foto se me veía de punta; ésa es otra de las rarezas de los fotomatones, que siempre te sacan con los pelos de punta. Bien, me fui directamente a las oficinas del periódico, y contraté un espacio publicitario de esos en los que se ve la foto de un loco o de un anciano bajo el rótulo de DESAPARECIDO. Di de mí unos datos estremecedores, por ejemplo, que medía 1,80 y que tenía los ojos verdes. Donde la complexión, puse fuerte, «de complexión fuerte y gesto decidido», eso puse, y el tipo que tomaba nota no dijo esta boca es mía: yo creo que ni siquiera me miró. Añadí que estaba bajo tratamiento psiquiátrico, porque eso aparece en todos los anuncios de desaparecidos, y que la última vez que me vieron llevaba un chándal verde. Qué asco, un chándal verde.

Esa noche no dormí, de impaciencia, y a la mañana siguiente estaba en el quiosco antes que el quiosquero. Me habían colocado junto a las necrológicas, porque a los desaparecidos siempre los colocan al lado de los muertos. Pero el muerto de ese día no tenía foto y yo sí. O sea, que debía de ser un muerto de hambre, una mierda de muerto. Vas a una tienda de cadáveres, pides un muerto de lo más tirado y te dan el de ese día, que no debía tener ni dónde caerse muerto, de otro modo no se explica que lo hubieran sacado sin foto, aunque fuera de fotomatón, como la mía. A mí me vino bien, porque mi anuncio destacaba más que la necrológica, es decir, que lo vería todo el mundo.

Llamé a la oficina para decir que estaba enfermo, y me pasé el día en la calle, yendo de un lado a otro, con la ilusión de que la gente me mirara, aunque fuera mal, y se espantara al ver a un desaparecido, pero no sucedió nada. Volví a casa con la esperanza de que el contestador estuviera lleno de avisos, porque en el anuncio había puesto mi teléfono, pero no había nada, como siempre. Pensé que por lo menos me llamaría alguien de la oficina, o mi madre, que sólo lee la página esa, la de necrológicas, pero el teléfono no sonó en toda la noche. Qué desastre.

Al día siguiente, en el lugar donde había estado mi foto la jornada anterior, salía un desaparecido de mierda, con una fotografía de estudio de cuando hizo la primera comunión, se ve que no tenían otra. También era de complexión fuerte, eso decía el anuncio, y medía 1,80 de estatura: todos los que desaparecen miden 1,80, lo tengo comprobado. El caso es voy a desayunar y me lo encuentro en el bar, tomándose unos churros. Me quedé espantado, porque a mí los desaparecidos me impresionan más que los muertos, pero me dio tanta rabia que yo le viera a él y que él ni se fijara en mí que todavía no he avisado a su familia.

El alma a los pies

Si fijas la atención en una parte de tu cuerpo, la conciencia se desplaza hasta allí y esa zona se hace más habitable. Me lo enseñó una bruja que se anunciaba en el periódico. Fui a verla para escribir un reportaje sobre el más allá, pero ella se empeñó en hacerme pensar en el dedo gordo de mi pie derecho y ahí empezó todo. Yo, la verdad, ignoraba que tengo dedo gordo en esa zona, o si lo sabía se trataba de un conocimiento inconsciente, del mismo modo que sé que tengo un píloro. Pero no iba con el píloro a todas partes; quiero decir que vivía como si careciera de él. Con el dedo gordo del pie me pasaba lo mismo hasta que la bruja me invitó a cerrar los ojos, susurrando:

—Procura no pensar en el dedo. Limítate a sentirlo.

Lo sentí, y al poco mi cuerpo no era más que un apéndice de esa formación digital. La conciencia se desplazó hasta el zapato, y comencé a ver las cosas de otro modo. Luego anduve muchos días con la personalidad instalada en aquella región remota, como si se me hubiera caído el alma a los pies, y metí seis goles en el partido del miércoles contra los de contabilidad. Recuerdo que un día iba en el metro con la conciencia envuelta en el dedo gordo, como si se tratara de una venda, y de repente sentí una pena enorme por mis contemporáneos que corrían de un lado a otro sin saber que estaban llenos de posesiones corporales. En entrevistas sucesivas, la bruja me enseñó a ver la realidad desde la tetilla izquierda, y desde ambas clavículas. Recorrimos también las regiones devastadas de la espalda, y luego comenzamos la exploración de las vísceras, donde tuve el placer de entrar en contacto con el píloro. Me pareció mentira haber vivido tantos años sin él: es muy importante. El caso es que ahora voy con el cuerpo entero a todas partes, aunque no estoy seguro de que la gente lo perciba. Pero lo más notable es que aprendí a proyectar la conciencia donde me daba la gana. O sea, que a lo mejor estaba en un cóctel y mientras fingía prestar atención al cónsul, mi conciencia saltaba sobre el canapé que se introducía en la boca la mujer del embajador, de manera que pegado al bolo alimenticio recorría a la dama por dentro y me volvía loco por sus entrañas.

Lo malo es que todo era mentira: pura sugestión, porque la mujer del embajador no notó nunca la presencia de mi conciencia en su intestino grueso, no sé si porque la conciencia es una fantasía del cuerpo o el cuerpo una creación de la conciencia, lo cierto es que una de estas dos cosas no existe sino como alucinación. ¿Pero en cuál dejo de creer si las dos parecen tan reales como la vida misma? El asunto se complica si pensamos que la bruja me enseñó también a recorrer Madrid sin necesidad de moverme de casa.

—Piensa en Cuatro Caminos —me susurraba al oído.

Y yo me ponía a pensar en Cuatro Caminos con una intensidad enorme hasta que veía la glorieta dentro de mí. Recuerdo que un día vi pasar a mi cuñado y luego le llamé por teléfono para comprobar.

—¿Has pasado por Cuatro Caminos esta mañana?

Me dijo que sí y a mí aquello me pareció un éxito, pero tuvo que ser una casualidad, porque luego me puse a pensar en López de Hoyos y de repente vi salir de La Ostrería a la mujer del embajador; me di cuenta de que era una sugestión porque ese mismo día se había ido a África con su marido. Y esta mañana intenté seguir los pasos de Álvaro Baigorri, el empresario que ha desaparecido después de firmar la separación de bienes, y acabé en Viena. Yo no conozco Viena, por eso sé que no estuve allí, porque uno no puede ir con la conciencia a lugares que no conoce. Total que con todo esto he empezado a preguntarme también si existe Madrid o es una creación de los sentidos. ¿Pero de qué sentidos, si ya hemos dicho que quizá el cuerpo no sea más que una alucinación de la conciencia? ¿O era al revés? Todo se ha vuelto muy confuso ¿Y los cócteles? ¿Existen los cócteles? Espero que sí porque sin ellos tampoco habría cuerpo diplomático y mi vida sólo tiene sentido cuando la mujer del embajador se toma un canapé conmigo dentro.

—Piensa en tu dedo gordo —me dice la bruja.

Y a mí se me cae el alma a los pies, pero ya ni me molesto en recogerla, porque el alma es mentira. Y si no es mentira el alma, lo es el cuerpo, o sea, que una de las dos cosas no existe, así que lo mejor es quedarse quieto en cualquier rincón de esta ciudad imaginaria hasta que seamos capaces de distinguir lo fantástico de lo real. Buenos días.

ERA ELLA

EL mismo día en el que mi amigo de la infancia ago-
nizaba conectado a tubos y sueros de todos los colores,
conocí a una mujer en blanco y negro. Me encontraba
en la cafetería del hospital, repasando nuestra existencia
con más asco que culpa, aunque con más culpa que
nostalgia, cuando la vi sentada a la mesa de enfrente con
un traje de chaqueta y la melena recogida en un moño
que dejaba al descubierto su cuello en blanco y negro.
Era la primera vez que veía una mujer así, no sabía que
existieran, de forma que me acerqué a ella y le dije lo
primero que se me ocurrió, una tontería:

—¿Es usted en blanco y negro también debajo de la
ropa?

—Claro —respondió con el gesto de las mujeres de
película que te abrasaban el corazón con la llama con la
que encendían el cigarrillo. Entonces le dije lo segundo
que se me ocurrió, que eran dos tonterías.

—Nunca vi una mujer así. ¿Es única?

—Hay más, pero muchas van coloreadas para no
asustar. ¿Qué haces aquí?

—Está muriéndose un amigo en la sexta planta. ¿Y
usted?

—Me gustan las cafeterías de los hospitales.

Le pedí que me acompañara a visitar a mi amigo, que era viudo de una mujer que sólo había tenido un poco de color en las mejillas, así que pensé que le gustaría ver a una persona en blanco y negro antes de morir. Ella aceptó y al entrar en el ascensor observé en su escote las mismas sombras que habían oscurecido los sábados por la tarde de nuestra adolescencia. Cuando llegamos a la habitación sucedió un prodigio: todo se volvió en blanco y negro. Me acordé de una película antigua de Jeanne Moreau, en la que sucedía una escena parecida. Mi amigo, que estaba dormitando, se volvió y al vernos sólo en dos colores pensó que estaba listo.

—¿Me he muerto ya? —preguntó con la falta de énfasis con que se plantean estas cuestiones trascendentales en los sueños.

—No —dije—, es que he encontrado en la cafetería a esta mujer en blanco y negro y quería que la conocieras, pero al entrar en la habitación todo se ha puesto así.

Ella se acercó a la cama y colocó la mano sobre su rostro, mientras yo me aproximaba con disimulo a un espejo en el que podía verme de frente y de perfil. A mi edad, sentaba mucho mejor el blanco y negro. No digo que me pareciera a Richard Widmark, pero el rictus de amargura que se me había ido formando en los labios desde los cuarenta tenía ahora una calidad moral. Y bajo el arco superciliar se agolpaba una suerte de niebla que parecía proceder directamente de la conciencia. Entonces me asomé a la ventana y vi la calle también en blanco y negro. Traté de imaginarme ese mismo paisaje con un poco de lluvia y me estremecí, porque era el Madrid a dos colores en el que siempre había soñado vivir.

Entonces escuché a mi espalda un estertor, conté hasta veinte, y cuando me volví la mujer estaba cerrando los ojos de mi amigo.

—Ya está —dijo—, sólo necesitaba un poco de ayuda.

Era la primera vez que veía un cadáver en blanco y negro; producía un dolor distinto al de los muertos de colores. Richard Widmark habría sufrido como sufría yo: con las manos en los bolsillos, los labios apretados y la mirada perdida en un gesto de indiferencia. En esto, el golpe de la puerta me sacó de aquel ensimismamiento en blanco y negro y al levantar los ojos comprobé que la mujer había desaparecido.

Cuando salí a la calle, la realidad era toda en blanco y negro. Comprendí que el resto de mi vida sería así, a dos colores, como un sábado de la adolescencia, aunque sin las pasiones agobiantes de entonces, y comprendí que acababa de alcanzar un acuerdo conmigo mismo que debía, en parte, a aquella pérdida. A la mujer no he vuelto a verla, pero cuando suceda me gustaría que me lo hiciera con la misma delicadeza con la que se lo hizo a él.

Con el calor se pudre la autoestima

Lo peor que te puede pasar en el verano es encontrarte con un amigo de la *mili*. Durante el invierno, con el abrigo, parece que te proteges mejor de estas acometidas del pasado. El calor te deja a la intemperie, no sabes qué hacer cuando te hablan de aquellos años, ni entiendes lo que dices tú mismo al referirte a ellos. El calor de Madrid tiene un punto envilecedor; aunque no tengas nada de qué arrepentirte, que ya es raro, sientes que no has hecho nada bien. El aire acondicionado produce faringitis, pero posee la virtud de mantener en un estado aceptable tu autoestima. Para eso está, del mismo modo que las neveras están para que no se eche a perder la carne.

Así que un día de éstos en que paseaba mi maltrecha autoestima por Cibeles, me tocaron el hombro justo en el momento en que me metía un dedo en la nariz, y me encontré frente a un sujeto que dormía en la litera de abajo en el cuartel.

—¿Qué haces? —preguntó.

No podía decirle lo que hacía porque no hacía nada. Gran parte de mi trabajo consiste en ver lo que hacen los otros para luego contarlo. Pero yo no hago nada, aparte de eso, de mirar a los otros. Es cierto que podía haberme ido a mirar a otro sitio, al bar del Palace, por ejemplo, que tiene aire acondicionado, y ves a la gente con la autoestima más fresca que el hígado de una ternera recién ajusticiada. A veces voy allí, pero luego tengo mala conciencia, porque me ha quedado del cristianismo esa cosa de que lo que no se consigue con esfuerzo carece de valor. Por eso me encontraba en Cibeles a la peor hora del día, para ganarme la vida con sufrimiento, a ser posible con el sufrimiento de los otros, pues me habían dicho que los funcionarios de Correos iban a salir a la calle en camiseta de tirantes para protestar por las condiciones en las que trabajan.

—Nada —dije—, no hago nada.

¿Qué le vas a decir a un tipo que te ha pescado metiéndote el dedo en la nariz en pleno mes de julio frente al Palacio de Comunicaciones? Con un sujeto así no tienes salvación, ya le puedes contar lo que quieras, un tipo como ése sabe más de ti que tú mismo. Así que me coloqué en el mismo nivel que mi autoestima y le dije que no hacía nada. Casi prefería que me compadeciera.

—¿Y tú? ¿Qué haces tú?

—No te lo vas a creer —dijo.

Y me contó que estaba siguiendo a un cabo primero que nos maltrató mucho durante la mili y que ahora era sargento, o sea, que había hecho carrera. Ya entonces se le veía una ambición desmedida, por eso había llegado a sargento. No hay nada como tener miedo a no ser nadie: llegará a brigada si uno de sus subordinados no le destroza antes la cabeza con un Cetme.

Bueno, pues el que dormía en la litera de abajo, que tenía el número 32, no recuerdo su nombre, el 32, digo, me contó que llevaba un año siguiendo al cabrón del cabo primero aquel para ponerle de los nervios.

—Acaba de meterse ahí, en Correos, para despistarme, porque me he convertido en su sombra. Me ha denunciado un par de veces, pero no han podido hacerme nada porque la calle es de todos y yo en la calle hago lo que quiero, ¿entiendes?, de manera que si quiero seguir a un cabrón lo sigo hasta donde me da la gana. Está desesperado, se le nota el miedo en la cara. Espera a que salga y verás.

Salió al poco y vi que me reconoció en seguida, así que me fui a seguirlo con el 32 y pasamos una tarde estupenda, con la autoestima por las nubes. Ahora estoy intentando contactar con los de nuestra compañía para que le sigamos todos juntos al menos un día a la semana. Se va a enterar.

El eterno retorno

Había un coche en doble fila con una nota en el parabrisas que leí sin tocar: «Perdón por las molestias. Estoy en el número 25, piso 5, puerta 11». El número 25 estaba allí mismo, junto al chino en el que acababa de comer, pero el ascensor no funcionaba. A ver quién sube cinco pisos andando después de una comida china con cerveza. Estaba por abandonar el automóvil y volver a por él en otro momento, cuando me dio un ataque de rabia. Yo nunca lo dejo en doble fila, aunque por miedo a los otros más que por respeto a la ley, la verdad: en esta ciudad no sabes nunca con quién te la juegas. Ahora ya no te dicen eso de usted no sabe con quién está hablando, ahora te dan con una barra en la base del cráneo, y luego se presentan. Por eso yo no dejo el coche en doble fila, porque me da dentera que me rompan el cráneo.

Así que me asomé al número 25 y empecé a subir lleno de odio unas escaleras mugrientas, de madera, que gritaban de dolor cada vez que les ponía el pie en los lomos. En el tercer piso me paré a descansar y comprobé con sorpresa que se me había ido la rabia. No hay nada como el ejercicio físico para alimentar la bondad. De repente me había puesto bondadoso y ensayaba frases bondadosas para reconvenir al infractor:

—¿Es usted el del coche rojo en doble fila? Cómo lo deja así, por Dios. He tenido que subir cinco pisos andando.

El piso 5 era un enorme pasillo con puertas numeradas a brocha, como los camerinos de un teatro viejo. Llamé con desconfianza a la 11 y se asomó un sujeto que me hizo un gesto imperioso de silencio antes de que me diera tiempo a hablar.

—Pase y espere un momento —bisbiseó.

Entré en una sala amueblada como un cuarto de estar antiguo. Sobre el sofá yacía, con los ojos cerrados, una chica joven con minifalda. El sujeto, de unos cincuenta años, se sentó en una silla, tapándome la visión de las piernas, y empezó a hablar con voz monótona. Advertí en seguida que la estaba sofronizando y me sentí un poco violento, pues esas cosas siempre me han parecido muy privadas. Al poco, no obstante, empezó a entrarme sueño y di una cabezada. Con los ojos cerrados, escuché al sujeto. Decía:

—Muy bien, ahora imagínate que vas a coger tu coche, pero que hay otro en doble fila que te impide salir. En el parabrisas de este último ves una nota en la que el conductor indica dónde está. Entonces buscas el portal, entras en él, y empiezas a subir a pie, porque el ascensor no funciona. Visualiza bien el espacio; las escaleras son viejas, de madera, y aúllan como si las mataras cada vez que las pisas. Llegas por fin al lugar que indicaba la nota y sale un tipo como yo que te dice que esperes porque está atendiendo a un paciente. Te sientas, cierras los ojos, porque te ha entrado el sueño, y me oyes decir: Imagínate que vas a coger tu coche, pero que hay otro en doble fila...

Me dieron ganas de vomitar la comida china porque

la realidad se estaba poniendo circular y a mí las realidades circulares me agobian mucho, me enloquecen. Dejé de estudiar filosofía cuando llegamos a la lección del eterno retorno: tenía la impresión de que el profesor contaba mi vida en público.

Total, que cuando me desperté para no vomitar, el sujeto y la chica habían desaparecido y a mí me habían robado hasta el carné de identidad. Bajé a la calle y vi otro coche en doble fila, también con una nota, pero esta vez me fui sin leerla. De esto hace un año ahora; el caso es que el otro día pasé con una chica por allí y le dije que aquel coche lleno de polvo, aunque no lo usaba, era mío, pero no me creyó. Nunca me creen. Es lo que quería decir con lo del eterno retorno, que ya están aquí otra vez las navidades.

Palos de ciego

Había un hombre y una mujer, los dos ciegos, dándose de bastonazos en la esquina de María Moliner con Julio Casares. Voy mucho a pasear por esa zona, pues, quizá por la ausencia de comercios, está más vacía que una boca sin lengua. Por no haber, no hay ni quiosco de periódicos; el más cercano está en la confluencia de Príncipe de Vergara con la Plaza de Cataluña. A veces, deambulando por allí, he tenido la impresión de encontrarme en el interior de un decorado, lo que no me disgusta: ese sentimiento de irrealidad favorece el brote de las palabras. Podría decir que voy allí a buscar palabras como otros van al bosque a recoger setas, sólo que a éstos les interesan las comestibles y a mí las venenosas.

Pues bien, había en esa esquina dos ciegos que empezaron por quitarse la palabra y acabaron a bastonazos, ya digo. La calle estaba desierta y las persianas de los edificios a medio echar, o sea, que yo era el único testigo de la ciega pelea. Procuré no hacer ruido, para que no advirtieran mi presencia, y los observé durante un rato. Tras el aperitivo verbal, enmudecieron de repente y pusieron en alto los bastones. La sensación de irrealidad se acentuó porque el silencio de la calle, de por sí inquietante, se hizo más oscuro al sumarse el de los ciegos a él. Callaban, para no dar pistas sobre su localización al otro, mientras descargaban palos de ciego en la dirección aproximada. Se trataba de una pelea sin ruido, que es algo así como un arcoiris sin color, o sea, en blanco y negro, como las buenas películas existenciales. Se comprende, pues, que, lejos de intervenir, contribuyera con mi sigilo a la creación de aquella atmósfera en la que los movimientos de los cuerpos tenían la calidad muda de las tragedias que se producen bajo el agua.

El hombre recibió en seguida tres palos certeros —uno en la cabeza y los otros dos en los hombros—, porque tenía una respiración un poco silbante que le delataba. Al cuarto, que le abrió una cremallera de sangre a la altura del lóbulo frontal, huyó a ciegas perdiendo una tira de cupones que recogí y guardé.

Después me acerqué a la ciega fingiendo que acababa de llegar y pregunté que qué había pasado. Al principio se resistió a hablar conmigo, pero bajé con ella, tomándola del brazo en cada cruce, por María Moliner y antes de llegar a la Avenida Espasa, que no está a más de cinco calles, me lo había contado todo. Por lo visto, el ciego y ella habían sido novios en una época en la que los dos veían, al menos hasta el punto en que se lo permitía su ciego amor, más ciego si consideramos que contaban con la oposición de los padres de ella, que detestaban al novio. Cuando a las presiones habituales para que no se vieran añadieron la amenaza de enviarla a estudiar fuera de Madrid, decidieron suicidarse en una pensión que hay al final de Julio Casares. Ella, como su padre era militar, puso la pistola, y él pagó la cama. Permanecieron toda la tarde el uno en brazos del otro y, cuando ya se habían dicho todas las palabras, él tomó el arma, disparó sobre la cabeza de su novia y en seguida se metió una bala en la propia. Pero lo hizo con tan mala fortuna, que en lugar de morir se quedaron ciegos.

Como si la pérdida de la vista les hubiera arrebatado también su ciego amor, empezaron a odiarse hasta el punto de que los dos querían vender cupones en la misma esquina. Cuando le señalé que aquella esquina comercialmente no valía nada me dio la razón, aclarándome que la habían escogido por eso, porque por allí no pasaba nadie y no les separaban cuando se daban de bastonazos. O sea, que a veces vas a buscar unas palabras y vuelves a casa con una historia. Por eso me gustan esas calles.

El extraño viaje

Llevaba años, lo confieso, con ganas de meterme en uno de esos servicios públicos de aspecto supersónico repartidos por las esquinas de Madrid. Pero me detenía el miedo a quedarme encerrado y la vergüenza de tropezarme con algún conocido en el momento de entrar, o de salir. El otro día, al pasar por la plaza de Colón volví a ver una de esas sugerentes cápsulas espaciales de las que había oído decir que se desinfectaban y desinsectaban solas cada vez que alguien las usaba. Me moría de las ganas de verla por dentro y sólo costaba cinco duros, así que me detuve cerca de ella, como si esperara a alguien, y leí con disimulo las instrucciones. Lo que más me llamó la atención fue un aviso en el que se indicaba que los niños menores de diez años debían entrar acompañados.

¿Por qué?, me pregunté. ¿Es que corren algún peligro los niños ahí dentro? Me parece bien que se les obligue a ir junto a un adulto en el ascensor, que es una cosa móvil en cuyo interior pueden darse situaciones de emergencia. ¿Pero qué clase de peligros podrían surgir dentro de aquel espacio ovalado y estático? ¿O es que no era estático? ¿Acaso una vez que entrabas allí y perdías todas las referencias exteriores se iniciaba alguna clase de extraño viaje que los niños no podían realizar sin la ayuda de una persona mayor?

Dios mío, me moría de ganas de entrar, pero pasaba mucha gente por la calle y no era difícil que algún conocido me estuviera observando desde lejos. De súbito, se me acercó una niña mendiga para pedirme una limosna.

—¿Cuántos años tienes? —pregunté.

—Nueve —dijo.

Nueve años, o sea, que tenía que entrar acompañada de un adulto y yo era un adulto. La coartada parecía perfecta.

—¿Y no tienes ganas de hacer pis? —insistí.

—Bueno —contestó con resignación—. ¿Cuánto me va a dar?

—¿Cómo que cuánto te voy a dar?

—Por hacer pis ahí dentro, delante de usted. Un señor me ha dado esta mañana quinientas pesetas.

Me quedé horrorizado. No podía imaginar que alguien pudiera utilizar aquella norma para dar rienda suelta a sus vicios. En esto, oí mi nombre y al levantar la cabeza me encontré con un hermano de mi mujer que me odia porque le sorprendí un día entrando en un prostíbulo:

—¿Qué haces? —preguntó.

—Nada —tartamudée lleno de rubor—; esta niña, que quiere hacer pis, pero aquí pone que tiene que entrar acompañada.

—Ya —dijo con gesto de censura—, y la vas a acompañar tú.

—Pues no sé, estaba dándole vueltas.

—¿Cuánto me va a dar? —insistió la niña.

El hermano de mi mujer torció la boca con expresión de asco y se fue. Saqué veinte duros del bolsillo y se los di a la niña, que, por cierto, era guapísima, para que se marchara.

—Por esto sólo me levanto la falda.

—No, hija, si es para que te vayas. Anda, vete, que estoy esperando a un amigo.

—Si le apetece otro día, yo estoy siempre por aquí a partir de las once.

Cuando desapareció, huí en dirección a Recoletos.

El caso es que, al pasar por delante de una cabina telefónica, vi dentro al hermano de mi mujer y supe que le estaba contando la historia de la niña a su hermana. No he vuelto a casa desde entonces, pero lo peor es que la niña no se me va de la cabeza.

EL VIEJO QUE FUMA

TRABAJO en una casa de seguros cuyas oficinas están en el casco antiguo, junto a la Puerta del Sol. Hace un año, por razones que no vienen al caso, dejé de fumar. Pero el domingo pasado estaba un poco triste y encendí un cigarrillo que me salvó la vida y desde entonces ya no he podido dejarlo, aunque lo hago a escondidas para no perder el prestigio conquistado a lo largo de todos estos meses de agonía. De manera que en casa digo que voy a bajar la basura y en la oficina me retiro al servicio, que es una especie de ascensor estrecho, con un ventanuco muy alto que da a un patio interior de dimensiones tan pequeñas que estirando el brazo podría golpear las ventanas de enfrente. Fumo de pie, sobre la taza del retrete y asomado a ese agujero por el que expulso el humo, para evitar que alguien que entre detrás de mí note el olor. El primer día me pareció un poco humillante, pero en seguida comencé a sacarle gusto. Creo que ese patio interior es un poco el resumen de mi vida, y he hallado en él la paz que uno encuentra en los resúmenes, aunque también ese punto de desazón de todo lo que es excesivamente familiar.

El caso es que el otro día estaba asomado al respiradero, consumiendo un Marlboro, cuando de súbito se abrió la ventana de enfrente y apareció el rostro de un anciano con gafas que tras lanzarme una sonrisa de complicidad me pidió un cigarrillo. Se lo di, claro, qué iba a hacer, y le proporcioné también el fuego. Luego fumamos unos instantes en silencio, el uno frente al otro, yo un poco avergonzado, la verdad, pero el viejo feliz.

—No me dejan fumar —dijo en tono clandestino, señalando hacia el interior de la casa—. ¿Y a usted?

—A mí tampoco —dije sintiéndome un poco ridículo.

—Pero usted es joven. Puede oponerse.

—No me gusta oponerme.

—Ya.

Me preguntó a qué hora solía volver y le dije que al mediodía.

—Pues luego nos vemos —añadió—, ahora tengo que irme.

Tras dar dos caladas más un poco ansiosas apagó el cigarrillo en el marco de la ventana y se guardó la colilla en algún sitio, un bolsillo, supongo, que no estaba al alcance de mi vista (sólo podíamos vernos la cabeza). Yo me retiré también y estuve un poco nervioso hasta la una: creo que el rostro de aquel viejo, no sé por qué, completaba el paisaje del patio interior de mi existencia y necesitaba comprobar que acudiría a la cita. Y acudió. Fue muy agradable, la verdad, y muy tranquilizador verle allí de nuevo. A lo mejor parece una exageración, pero creo que aquel viejo era, después del patio, lo único que le faltaba a mi vida, que ahora por fin está completa. Es como cuando ves un bodegón y sabes que le falta una manzana para ser un bodegón como Dios manda. La cabeza del viejo era mi manzana, de manera que ahora creo que ya lo tengo todo. Estoy completo.

Así que cuando me meto en la cama, por las noches, soy feliz, porque sé que en el bolsillo de la chaqueta llevo un paquete de tabaco secreto, que me da la misma seguridad que si llevara una pistola. Y en la cabeza, también sin que nadie lo sepa, escondo un patio interior por el que subo y bajo imaginariamente hasta que me quedo dormido bajo la mirada tolerante de ese anciano al que todos los días regalo diez cigarrillos. Algunas noches me despierto angustiado porque sueño que el viejo que fuma se ha muerto. Pero me fumo un cigarrillo en la cocina, con la ventana abierta, para que al día siguiente mi mujer no lo huela, y se me pasa en seguida. A veces me pregunto si ese patio interior podría estar en otra parte, en Suecia, por ejemplo, pero creo que no, que sólo puede estar en mi cabeza o bien, en su defecto, en Madrid.

El sentido de la vida

Aquel viernes decidió llevar a cabo un experimento: al salir de la oficina, alquiló 20 películas de vídeo y se encerró con ellas en su apartamento. Por lo general, hacía la compra los domingos, pero estaba deseando que las autoridades prohibieran la apertura de las grandes superficies los festivos para no encontrarse en el supermercado con otros como él. Del mismo modo que las embarazadas sólo ven embarazadas, él llevaba unos meses que no veía en el supermercado más que duplicados de sí mismo. El domingo anterior, mientras hacía cola frente a la caja del establecimiento, con el carrito cargado hasta los bordes, tuvo un momento de terror al comparar aquel grupo humano con el de un conjunto de hormigas indiferenciadas. Había leído que a estos insectos les había sido arrebatada en algún tiempo remoto la conciencia, lo que impidió que continuarán evolucionando. De ahí que cayeran en esa forma de obsesión consistente en repetir una y otra vez el mismo circuito, en trazar el mismo círculo, con la esperanza, quizá, de que un siglo cualquiera algún integrante de la colonia escapara del trayecto establecido, y fuera en busca de esa conciencia que les liberara de la locura de no parar de trazar circuitos meramente alimenticios y reproductores.

Tal vez, ese individuo fuera él. Todos los animales sociales —las abejas, por ejemplo— alcanzaban un punto en el que, obsesionados por la economía, perdían la conciencia, quedando atrapados en una noria de actividad que carecía de sentido. Sus últimos años habían sido así: las semanas terminaban indefectiblemente en el agujero del domingo, por el que entraba la comida que, almacenada en el frigorífico, se iba consumiendo a lo largo del invierno del lunes y del martes y del miércoles, que tenía una puerta —el miércoles— por la que se llegaba a las cámaras huecas del jueves y del viernes.

De entre las 20 películas que había acarreado hasta el apartamento, la mitad más o menos eran de terror y el resto pornográficas. Empezó con las pornográficas, pero le daban más miedo que las otras, de manera que el sábado por la mañana decidió descansar y comer algo. Marcó un número de teléfono y encargó una pizza de anchoas y dos cervezas. Al poco, sonó el timbre y una chica —una hormiga en realidad— con casco y cazadora de piel le llevó el pedido. La chica, o la hormiga, era muy menuda, como a él le gustaban y se enamoró un poco de ella. Cuando se fue, continuó viendo películas pornográficas con la esperanza de encontrar un ejemplar parecido, pero en las pornográficas no salían hormigas tan menudas. A lo largo del fin de semana, utilizó cinco veces más ese servicio, pero la chica de la cazadora no volvió.

El domingo tuvo un momento de flaqueza, una tentación, que casi le empuja a ir al supermercado para repetir el circuito infernal, pero lo combatió con una película de terror y con la idea de que tenía que recuperar la conciencia para entregársela a aquella chica de la que se había enamorado. Mientras comía pizzas y bebía cervezas, se imaginó regresando de lugares remotos con ese vellocino de oro que era la conciencia, y veía la Castellana repleta de gente que le aclamaba, mientras él levantaba la conciencia por encima de la cabeza para mostrársela a todos. En esto, entre la multitud, aparecía en moto una chica menuda que le regalaba una pizza de oro. Con esta fantasía se quedó dormido el domingo por la noche, y el lunes, después de que sonara el despertador, mientras se afeitaba la barba de dos días, sintió que su vida estaba llena de sentido.

UNA BARRA DE ACERO

ESTÁBAMOS atascados en la M-30, cerca de la salida del tanatorio. A mi derecha, dentro de un coche familiar, iba un sujeto de unos cuarenta años que tocaba sin pasión alguna el claxon, por aburrimiento. Delante de él había un camión gigantesco, del que de repente descendió en camiseta de tirantes un monstruo que se dirigió al del claxon. Metió la mano izquierda por la ventanilla, sacó la cabeza del conductor cogida por los pelos y le dio en la mitad de la cara un puñetazo que le hizo desaparecer en las profundidades del automóvil. Se hizo un silencio como de mediodía mientras el camionero regresaba a su fortaleza. Pensé que alguien —no yo: soy un cobarde— acudiría a auxiliar al herido, pero no se movió ni el aire. Es más, cuando me fijé en los conductores que me rodeaban para ver cómo podían soportar aquella humillación colectiva, observé que miraban hacia otro sitio. Sólo un niño, dos coches más allá del mío, parecía tan horrorizado como yo. Cuando sus ojos y los míos se cruzaron, sentí una profunda vergüenza por todos nosotros. Entonces se abrió la puerta del coche familiar y descendió, tambaleándose, el herido. Tenía la cara llena de sangre y llevaba en la mano un bolígrafo y un papel en el que, para vengarse, empezó a apuntar la matrícula del camión. No le dio tiempo. El monstruo en camiseta de tirantes descendió de nuevo de la torre de control de su vehículo, alcanzó al herido y le hizo tragarse el papel antes de arrojarlo al interior de su automóvil como si fuera un saco de patatas.

Miré al niño que había dos coches más allá del mío y comprendí que si alguien no salía a enfrentarse con el camionero, no creería en nada ni en nadie el resto de su vida. De otro lado, yo mismo estaba lleno de un odio ciego, sin salida. Si hubiera llevado una escopeta en el coche, habría abatido sin duda al agresor. Así que de súbito, sin que interviniera mi voluntad, es decir, como un autómata dirigido a distancia por la mirada del niño, bajé del coche y me dirigí al camionero, que al oír la puerta se había detenido y me esperaba. Durante los segundos que tardé en llegar a una distancia razonable mi cerebro trabajó a una velocidad de vértigo: yo creo que realizó el equivalente a dos mil jugadas de ajedrez hasta dictarme el movimiento que debía hacer. De manera que saqué un cigarrillo, me lo puse en la boca y dije:

—¿Tiene usted fuego, por favor?

El monstruo en camiseta me dio fuego algo desconcertado y yo regresé a mi coche, a mi guarida, en realidad, con un temblor de piernas que no apreció nadie, porque nadie se atrevía a mirarme, excepto aquel niño que desde luego estaba condenado a no creer en nada el resto de su vida. Ni falta que le hace, me dije.

Durante los días siguientes no pude dejar de pensar en el suceso, y cuanto más lo recordaba más odio sentía dentro de mi cuerpo. Podía haberme sucedido a mí: soy de los que tienen la manía de pitar en los atascos. Entonces, encontré en la calle una barra de acero de unos cincuenta centímetros, y mi vida cambió cuando decidí guardarla debajo del asiento. La emplearía en la cabeza del primero al que se le ocurriera toserme. En los atascos tocaba el claxon más que nadie con la esperanza de que apareciera un monstruo de cualquier especie con tal de que llevara una camiseta de tirantes. A veces, cuando estaba nervioso por problemas de trabajo o familiares, me metía en el coche, tomaba la barra de acero, sosteniéndola un rato en el aire, y me entregaba a esa paz religiosa que proporciona el poder.

Me convertí en un hombre más seguro de mí mismo que antes, aunque también más agresivo. Por lo menos hasta que me dio por imaginar qué habría sucedido si el día del atasco en la M-30 hubiera llevado la barra de hierro debajo del asiento. Me vi avanzando hacia el monstruo con el arma en la mano, pero al llegar a su altura, en lugar de abrirle la cabeza, incomprensiblemente, le ofrecía la barra, para que pegara con ella al que había tocado el claxon. Lo peor de todo era sentir la mirada del niño cuando regresaba sin barra a mi automóvil.

ME HABRÍA GUSTADO SER MÉDICO

HE visto muchas veces en las películas esa escena en la que una azafata se dirige al pasaje y pregunta si hay algún médico a bordo. Generalmente, es para atender a una embarazada que está dando a luz; una estupidez: cualquiera puede hacer eso. En Madrid, el 8 % de los niños nacen dentro un taxi, o sea, que hasta un taxista, si se empeña, puede parir algo. Pero a veces se trata de cosas más serias, a las que hay que enfrentarse con unos nervios de acero como los míos, porque de ello depende que el paciente fallezca o sobreviva. Las paradas cardiorrespiratorias, por ejemplo, son muy difíciles de sacar adelante. Hay que masajear con fuerza la caja torácica para que el corazón se ponga en movimiento y comience en seguida a entrar aire en los pulmones. En una película que vi de pequeño, un médico, al dar un masaje de corazón a alguien que estaba a punto de morir, le rompía tres costillas. Pero lo hacía por su bien. Y en el cine, a las mujeres que pierden los nervios, les dan una torta o dos. Y si vas a rescatar a alguien que se ahoga, lo mejor es que empieces pegándole un puñetazo en la nuca para que pierda el sentido y se deje conducir dócilmente. Muchas veces, para hacer una venda, si estás en un sitio con falta de medios, has de desgarrar una blusa. Todo esto son males menores en comparación con el bien que vas a proporcionar al agonizante.

Yo creo que éste es uno de los aspectos que más me gustan de la medicina: las costillas rotas, las bofetadas ansiolíticas, el puñetazo en la nuca, y el ruido de la blusa al desgarrarse. A veces, en mis fantasías, imagino que logré estudiar medicina y que soy un gran cirujano. Entonces, me veo entrando en el quirófano con una bata verde y lo primero que hago para poner las cosas en su sitio es dar un par de bofetadas a las enfermeras que me van a asistir: tengo un equipo magnífico, pero un poco histérico. Luego me pongo a operar y cuando ya he abierto el tórax del paciente y tengo su corazón latiendo en mi mano, el anestesista, que está junto a mí controlando las constantes vitales, sufre un infarto de miocardio con parada cardiorrespiratoria y cae al suelo. Las enfermeras, como es natural, se ponen histéricas y tengo que abofetearlas otra vez. A continuación, abandono el corazón del paciente en cualquier sitio y me inclino sobre el anestesista. Me doy cuenta en seguida de que si no le rompo tres costillas no podré masajear su corazón, así que le doy un golpe certero con el canto de la mano y se oye el crujido característico de la caja torácica cuando se cae al suelo desde una gran altura. El anestesista empieza a respirar, pero a una enfermera se le cae un apósito justo sobre su boca y el anestesista se lo traga. La cosa es que le entra por mal sitio y comienza a ahogarse. Entonces yo tomo un bisturí y le hago en la garganta una incisión por la que comienza a entrar aire a los pulmones. Para limpiar la sangre, porque entre unas cosas y otras se ha puesto todo perdido de sangre, le arranco la blusa a una de las enfermeras, la desgarro e improviso una gasa limpiadora. Es cierto que al ver a la enfermera sin blusa me excito sexualmente, porque además de cirujano soy sexólogo, pero me aguanto las ganas porque he hecho el juramento hipocrático y sé que no está bien hacer esas cosas dentro de un quirófano, en medio de una operación a corazón abierto y con un anestesista infartado en el suelo. Entonces la enfermera, al ver que no le hago caso, se pone histérica como es natural y tengo que abofetearla...

Se trata de una fantasía con infinidad de variantes; de hecho llevo con ella seis o siete años y aún no he llegado al final, porque luego, cuando el director de la clínica viene a felicitarme, le da un ataque de epilepsia de pura envidia que me tiene y he de meterle un bolígrafo atravesado en la boca para que no se muerda la lengua. Así que el otro día estaba en una cafetería de Aluche con aire acondicionado, tomándome unas tortitas con nata, cuando preguntaron si había algún médico entre el público. Por fin, dije, ésta es mi oportunidad. De manera que iba a ponerme ya a dar tortas y a desgarrar blusas cuando me dijeron que era para ayudar a un parto. ¡Qué tontería, dije, avisen a un taxista! Y volví a mi fantasía favorita mientras mojaba la tortita en un poco de sangre.

Fanatismo venéreo

En el avión, a mi lado, iba un sujeto que leía apasionadamente los anuncios por palabras de un periódico de Madrid. Hay gente que busca piso o asistenta con una vehemencia atroz, pero el fanatismo de este hombre era venéreo. De reojo, leí algunos de los apuntes que tomaba en una pequeña libreta; rezaban así: «Espectacular, jovencita, 50.000». «Rubia delgadita, ven a verme». «Viudita, 5.000». «Disciplina inglesa, gabinete totalmente equipado». «Señora madura, particular».

Faltaba media hora para que el avión aterrizara en Madrid, adonde me dirigía por razones de trabajo, como el tipo que leía los anuncios venéreos. Los representantes comerciales nos reconocemos en seguida. Entras en la sala de embarque de un aeropuerto, echas un vistazo y en seguida reconoces a tus colegas igual que ellos a ti. En un 80 % de los casos puedes incluso adivinar sin gran esfuerzo el sector al que pertenecen. Se trata de una maldición, cada profesión tiene la suya. La nuestra es ésta, que nos reconocemos nada más vernos, como los policías y los curas. Yo, al principio, intentaba hacerme pasar por otras cosas, pero se reían de mí. Ahora me da igual que me reconozcan, porque ya no aspiro a ser otro, por eso no me molestó que el tipo de al lado se dirigiera a mí con la familiaridad que solemos utilizar en este gremio.

—Hay unas diferencias de precio increíbles —dijo.

—¿Perdón?

—Fíjate, esta imbécil cobra 50.000, y aquí, más abajo, te hacen un servicio completo por 5.000.

Incliné la cabeza en dirección al anuncio y había, en efecto, servicios completos por 5.000 pesetas, pero eran para la tercera edad. Se lo dije:

—Eso es para señores de la tercera edad, ahí lo pone. A lo mejor están subvencionados.

—La viudita esta también cuesta 5.000, no está mal.

—Es una estafa —dije—. La mayoría no son viudas.

—¿No? —preguntó con asombro.

—Lo ponen para excitar porque hacer el amor con una viuda es, en cierto modo, como hacerlo con un ataúd. Las viudas guardan dentro el cadáver del marido, al menos durante un tiempo, y eso les hace adquirir una cierta calidad de caja.

Me miró entre divertido y asombrado. Era bastante más joven que yo, podría haber sido mi hijo.

—¿Cómo lo sabes?

—Porque soy viudo —mentí—. Mira mis manos, están llenos de nudos, como la madera. Fíjate en mi frente. ¿No ves estas líneas que parecen vetas? Soy una caja con un recuerdo muerto dentro.

Se quedó un rato callado, pero al poco volvió a la carga golpeándome con el codo mientras me señalaba otro anuncio: «Ana, amoral, viciosa, diabólica».

—¿Cuánto costará ésta? —preguntó.

—Veinticinco mil —mentí—, estuve con ella la semana pasada. Pero no es amoral ni viciosa, ni diabólica.

Tiene un hijo en un internado de curas al que quiere dar estudios.

—Me estás jorobando el viaje a Madrid —dijo.

—Todos los viajes a Madrid son una estafa. Nunca pasa nada. En Madrid sólo pasa lo que nos imaginamos que pasa. Es mejor Logroño o Salamanca. Allí suceden cosas reales.

—¿Y tú qué vendes?

—Látigos y ligueros de fantasía —volví a mentir—. Últimamente más látigos que ligueros. Es un asco.

Esa noche cenamos juntos, le hablé como si fuera mi hijo y sentí que aquello había sido una experiencia real.

Cómo hacerse millonario

Si cada uno de los transeúntes o de los automovilistas con los que te cruzas al cabo del día te dieran el dinero que llevan suelto en el bolsillo, te forrabas. Lo que pasa es que no te lo dan, primero porque no ven ninguna razón, y luego porque hay mucha competencia, ¿comprendes? Están, por ejemplo, los de las puertas de los VIPS, y los de los pañuelos de papel en los semáforos, que no son malos comerciantes, porque poseen la virtud esencial de la tenacidad y para comerciar has de ser tenaz, pero tienen pocas ambiciones, sin embargo. Una cosa por otra.

Vamos a suponer que vendiendo pañuelos en el semáforo te fuera muy bien: tendrías que contratar a un aprendiz y quizá invertir en un cobertizo en el que almacenar la mercancía, etc. Total, que los ingresos crecerían aritméticamente, pero los gastos tendrían una progresión geométrica, porque yo estoy de acuerdo con Candessus, el del FMI: creo que en España está por hacer la reforma laboral; bueno, la laboral y la luterana, porque aquí ha faltado un Lutero que encontrara en el alma un lugar para el dinero. Así que a lo más que puedes aspirar vendiendo pañuelos en un semáforo es a ir tirando y punto.

Ahora bien, el dinero grande se consigue de otro modo: han de venir a dártelo porque necesitan quedarse tranquilos; no todo, por supuesto, basta con que se desprendan de lo que llevan suelto. Yo tengo varios negocios de éstos, de arañar, porque en Madrid, con un poco de imaginación, los hay a cientos. A cientos. Ahora he puesto en el periódico un anuncio en el que aseguro que trato la eyaculación precoz por teléfono; la verdad es que lo he copiado de uno que vi el domingo en el suplemento de negocios. Junto al texto, he reproducido una foto mía en la que llevo barba postiza y unas gafas de concha que me dan, con la calva, un aspecto un poco polvoriento, como corresponde a la eyaculación precoz y solitaria. Este negocio lo hice por probar, porque me gusta experimentar, no puedo estarme quieto. Recibo entre 50 y 60 llamadas diarias, y vengo a obtener un promedio de mil pesetas por eyaculación, que es mucho, porque al ser precoces acaban en seguida. Hay otros métodos para forrarse, como el de ése que envió cien mil cartas que decían: «si quiere hacerse millonario en quince días, envíeme 20 pesetas en sellos y le daré la respuesta». La respuesta era: «haga lo que yo». Esto lo inventó un colega mío de Nueva York, y, aunque le pusieron una denuncia, no pudieron encarcelarle porque demostró que se había hecho millonario; en fin, que no era una estafa, porque si hacías lo mismo que él te volvías millonario.

A mí me gusta más lo de la eyaculación precoz, aunque es también más arriesgado, porque la mayoría no se cura y corres el peligro de que vayan a reclamar a un ministerio, no sé a cuál. El secreto consiste en que crean haberse curado, que piensen, en fin, que sus tiempos son normales (los de un ministro del Interior alemán, pongo por caso). Otra solución consiste en que les dé tanta vergüenza haberse tratado por teléfono la eyaculación precoz, que no se atrevan a contárselo a nadie. En cualquier caso, la terapia es muy fácil. «El secreto está en no darse prisa», les digo a mis pacientes, «¿qué prisa tiene usted?». Si se extrañan de la simpleza del remedio, suelo añadir que las grandes verdades suelen están contenidas en fórmulas muy simples; para ilustrarlo les enseño un proverbio árabe que debe de estar oscuramente relacionado con la eyaculación, porque les gusta mucho. Dice así: «El día de su tumba, nadie duerme fuera».

Algunos me llaman diciendo que lo de no tener prisa les ha ido muy bien, sin embargo a mí no me funciona. De manera, que me estoy forrando, pero no soy feliz.

Diablo

Me cogió la lluvia en San Bernardo y entré en un bar en el que había ancianos de todas las edades. Ocupé una mesa junto al ventanal y contemplé el proceso por el que la calle se iba vaciando. De súbito, empezó a caer granizo y eso provocó alguna excitación en el interior del local. Los de los coches nos miraban a los de la cafetería y sonreían. Se sentó a la mesa de al lado una pareja de jóvenes con el pelo mojado. Traían la conversación puesta, pues ella preguntó en seguida:

—En definitiva, ¿crees o no crees en Dios?

El muchacho dudó; quizá no sabía la respuesta. En cualquier caso, se resistía a darla. Finalmente dijo:

—Es una pregunta muy íntima. No digo que no te esté dispuesto a contestar, pero a cambio de algo.

Sin duda estudiaba empresariales.

—Tu respuesta está en venta —dijo ella.

—Si quieres decirlo de ese modo...

—Está bien, qué quieres.

—Que me enseñes las bragas.

Ella ocultó las manos debajo de la mesa y, tras una costosa manipulación, las sacó con unas bragas blancas, de encaje, entre los dedos.

—Toma —dijo.

El muchacho las tomó desconcertado y aplicó las yemas de sus dedos en las zonas más íntimas, como si buscara una respuesta. O una humedad.

—No decía verlas así —balbuceó al fin—, encima de la mesa. Por eso no creo en Dios, porque nunca se me aparecen las cosas donde deben. Sin embargo, creo en el Diablo.

—No se puede creer en el Diablo sin creer en Dios —rebatió ella.

—Pues hay gente que cree en Dios y no en el Diablo.

—Pero son herejes. La Iglesia afirma la existencia del infierno.

—Entonces soy un hereje al revés: sólo creo en el infierno.

Por un momento se dieron cuenta de que les estaba escuchando y se aplicaron a contemplar el granizo. Finalmente, cuando el orden de escuchas se restauró, volvió a hablar. Dijo:

—No podemos continuar así; nos separan demasiadas cosas.

—No tantas —dijo él—; sólo el cielo.

—Devuélveme las bragas.

La chica se las volvió a poner por debajo de la mesa. Parecía una contorsionista.

—¿Seguimos o no? —preguntó él.

—Está bien, pero no les digas a mis padres que no crees en el cielo.

—Les diré que creo en el infierno; en el infierno y en la mala suerte.

Entonces me incliné hacia ellos y sonreí.

—Lleva razón el chico —dije—; soy el Diablo y puedo aseguraros que no hay Dios.

—El Diablo qué va a decir, si es ateo. No le hagas caso.

En Nueva York se viola mucho

No sé dónde perdí las llaves de casa, creo que fue en un bar en el que entré a respirar un poco de aire acondicionado. O quizá fue en un semáforo en el que saqué el pañuelo para limpiarme el sudor del cuello, no lo sé, el caso es que al volver a casa no las tenía en el bolsillo y tuve que llamar al timbre. Me abrió mi mujer, muy extrañada, porque yo no me desprendo jamás de mis llaves, así que me dio vergüenza decirle que las había perdido y le conté que las tenía en otra chaqueta.

Miré en esa otra chaqueta, por si acaso, y también en el cajón de la mesilla de noche, aunque ya sabía que no podían estar ahí, las había sacado de casa, de eso estaba seguro. La cuestión es que siempre estoy reprochándoles a mi mujer y a mis hijos el poco cuidado que tienen con sus llaves, ellos piensan que soy un maniático, de manera que no sabía cómo confesar públicamente que las había perdido, porque estas cosas no me pasan a mí, a mí me pasan otras, pero éstas no. Es cierto que podía quitárselas a cualquiera de ellos (son muy descuidados, las dejan en cualquier parte) y sacar una copia sin que se enteraran, pero eso no eliminaba el problema de fondo. El problema de fondo es que me obsesionaba la idea de que las hubiera encontrado alguien que supiera a qué puerta pertenecían y entrara por la noche a violarnos o a robarnos el vídeo. Ya sé que en Madrid hay muchas puertas y que si uno se encuentra unas llaves por ahí tiene muy pocas posibilidades de saber a quién pertenecen. Pero mi existencia no se guía únicamente por el cálculo de probabilidades, hay otras cosas que también actúan sobre la realidad. En cualquier caso, me repugnaba la idea de que un miserable fuera con las llaves de mi casa en el bolsillo, porque si uno tiene la llave de tu casa, aunque no sepa dónde vives, adquiere un poder, cómo diría, mágico, sobre todas tus pertenencias. Así que decidí que era preciso cambiar la cerradura.

Pero para cambiarla tenía que confesar delante de mi mujer y de mis hijos que había perdido las llaves. Estuve toda la noche sin dormir, dándole vueltas al asunto, y al día siguiente, en la comida, dije que había que cambiar la cerradura porque había perdido las llaves. Mis hijos (tengo dos, un chico y una chica) empezaron a reírse detrás de la servilleta.

—¿Las has perdido junto a la documentación? —preguntó en seguida mi mujer.

—No —dije.

—Entonces, saca una copia de las mías. ¿Quién va a saber que son de esta casa?

—¿Y si las he perdido delante de alguien que me ha visto salir del portal?

—Ya sería casualidad, pero aun así tendría que conocer el piso y la letra.

Mis hijos se daban patadas por debajo de la mesa, pero yo continué con mi argumentación:

—¿Y si me las ha robado alguien que sabe dónde vivo?

—¿Pero no has dicho que las habías perdido?

Entre las risas de mis hijos y la obcecación de mi mujer me puse nervioso y dije que sí, pero que no las había perdido en Nueva York; si las hubiera perdido en Nueva York no se me iba a ocurrir que nadie hiciera un viaje desde allí para robarme el vídeo (me callé lo de la violación, aunque allí se viola mucho). Lo de Nueva York les hizo gracia a todos, así que me fui a dormir la siesta. De esto hace ya más de un mes, no hemos cambiado la cerradura y todavía no han venido a violarnos ni a robarnos el vídeo. Francamente, no sé si convertirme al cálculo de probabilidades.

El viajante de comercio llega a Madrid

Cuando faltaban 30 kilómetros para llegar a Madrid, encendió el último de los cuatro cigarrillos que se había autorizado para amenizar el viaje y cambió la emisora en busca de noticias, mientras se excitaba con la idea de ir directamente a ese bar de la calle Serrano donde había una camarera con cuyo escote disfrutaba tanto. El comportamiento del coche durante el largo viaje no había podido ser mejor y tenía la necesidad de reconocérselo de algún modo, de manera que, sin dejar de pensar en ella, pasó la mano por la piel del salpicadero a modo de caricia mientras musitaba una brutalidad amable. Un buen automóvil era como un útero materno: todo cuanto uno necesitara debía estar al alcance de la mano, de forma que apenas hubiera espacio entre el deseo y su realización.

En esto, el coche que iba delante del suyo empezó a lanzarle unas ráfagas de luz, como si llevara detrás los focos de delante. Tardó un segundo o dos, quizá menos, en comprender que iba por el carril de la izquierda, como si aún estuviera en la autopista y no en una carretera de dos direcciones. Frenó y giró el volante a la derecha en un movimiento perfectamente sincronizado que evitó el golpe por milímetros. En la radio, un locutor afónico, o asustado, como si hubiera presenciado el incidente, daba las cifras de los muertos del fin de semana. Apagó el cigarro y hundió un poco el acelerador para recuperar velocidad mientras se sorprendía de no estar asustado. El miedo, pensó, acontece antes o después de aquello que lo produce, nunca van juntos.

Sin embargo, tampoco ahora tenía miedo, sino un sentimiento de irrealidad que no recordaba haber experimentado nunca. Entre tanto, la memoria reproducía una y otra vez el suceso y lo que más le llamaba la atención de este repaso era la lentitud con la que se habían ejecutado todos aquellos movimientos que sin embargo habían durado décimas de segundo. En cualquier caso, el optimismo corporal anterior había desaparecido sin que el espacio dejado por él hubiera sido ocupado por otra sensación. Le habría gustado sentir angustia o remordimiento, pero su cuerpo parecía lleno de humo.

Al entrar en Madrid intentó reproducir la excitación del escote, que era del mismo color que la tapicería del automóvil, pero sintió una indiferencia atroz por los semáforos, los edificios e incluso por la suciedad de las aceras. Vio a un barrendero que, escoltado por unos guardias, llevaba a cabo su trabajo, pero ni siquiera eso le hizo gracia, y no le hizo gracia porque desde la perspectiva desde la que ahora veía las cosas un humilde barrendero podía aparecer rodeado de escoltas, mientras el alcalde, vete a saber, se paseaba a cuerpo. No es que las cosas se hubieran invertido, sino que los engranajes de la realidad cambiaban de sitio caprichosamente. A lo mejor, pensó, mañana me levanto y la ropa interior se vende en las carnicerías. Aun así, tendría que comprar el conjunto que le había prometido en el último viaje.

En Serrano, dejó el coche en doble fila y entró en la cafetería buscando el escote con la mirada. Preguntó por ella y le dijeron que había muerto en la operación retorno del fin de semana. Se tomó un vermut al que no consiguió arrancar ningún sabor y se fumó un cigarro no incluido en la programación que tampoco le supo a nada. Quería ponerse triste, pero la glándula de la que otras veces había obtenido la sustancia viscosa de la pena no funcionaba. De repente supo que el resto de su vida estaría condenado a la irrealidad, al menos mientras continuara resistiéndose a saber qué había sucedido realmente cuando intentó evitar a aquel automóvil que se le había echado encima.

Un día de frío

Estaba arrancando el hielo del parabrisas del coche con un rascador, cuando le pareció ver un bulto dentro. Se asomó por una de las rendijas abiertas en el agua sólida y vio el cadáver de un mendigo. Supo que era un mendigo y que estaba muerto porque la mendicidad y la muerte eran las dos cosas que más miedo le daban, de manera que las reconocía a simple vista. Evaluó durante unos instantes la situación, y pensó que si se entretenía en denunciarlo llegaría tarde a la oficina. Además, padecía una depresión que le impedía hacerse cargo de los trámites. «Seguro que descubrir un cadáver dentro de tu coche —pensó— te garantiza trámites para una temporada».

Así que dejó de rascar y volvió a casa. Su mujer, que estaba a punto de salir, solía reprocharle que apenas le dejaba utilizar el coche, aunque lo habían pagado entre los dos.

—Toma —dijo ofreciéndole las llaves—, llévate el coche si quieres; me ha caducado la tarjeta del parking de la oficina y aún no he solicitado la nueva.

Afortunadamente, este extremo era cierto, así que se trataba de una coartada perfecta para que fuera ella quien descubriera el cadáver y se enfrentara a los trámites, por lo menos a los primeros. Luego, para aparentar calma, cogió el metro y se tomó un café en el bar de debajo de la oficina, dejándose ver por los compañeros que desayunaban allí habitualmente. Después, subió al despacho y preguntó si había recibido alguna llamada. Dijeron que no, lo que era muy raro: su mujer ya debería de haber descubierto el cadáver; lo normal es que hubiera telefoneado presa de un ataque de nervios. Había pensado decirle que fuera directamente a la comisaría para hacer la denuncia prometiéndole que se reuniría allí con ella. Pasó una hora más sin que lograra concentrarse en ningún papel. Finalmente, la llamó al trabajo y, para su sorpresa, respondió con toda naturalidad.

—¿Qué tal te ha ido con el coche? —preguntó.

—Mal —dijo—, no ha arrancado. Por el frío, supongo. He tenido que coger el autobús.

Tras despedirse de ella, consideró la posibilidad de haber padecido una alucinación, aunque no era dado a esa clase de experiencias, es más, detestaba todo lo que sonara a paranormal, porque su mujer, que echaba las cartas, le había pronosticado un año antes la depresión que padecía ahora. Comprendió de súbito que, más que un pronóstico, fue una orden, y en seguida alcanzó la conclusión de que había decidido cargarle el muerto: era mentira que el coche no hubiera arrancado. Lo que pasa es que pretendía que lo encontrara él para no tener que hacerse cargo de los trámites. «Es una insolidaria —pensó con odio—, siempre me ha dejado las cosas más desagradables de la vida cotidiana, incluso ahora, sabiendo que me están tratando de los nervios».

Miró afuera: empezaba a hacer sol, así que el hielo del coche no tardaría en derretirse dejando el cadáver del mendigo a la vista de los transeúntes. Abrió un cajón de su mesa, tomó un duplicado de las llaves del automóvil que guardaba allí, salió de la oficina, y regresó al barrio. Se acercó con miedo al coche, pero no vio al mendigo dentro. Abrió la puerta, puso el contacto y arrancó a la primera. Apagó el motor y permaneció sentado todavía en el interior, olfateando el aire. Olía a mendigo, a mendigo y a muerto, conocía muy bien esos olores. Entonces intentó abandonar el coche, pues le pareció que procedían de él, pero un dolor inmenso en el costado le paralizó. Comprendió que se trataba de un infarto, y se contempló fugazmente en el espejo retrovisor para comprobar que tenía cara de mendigo; un segundo después, tenía también cara de muerto.

Una vocación imposible

De haber nacido hombre, no tengo ninguna duda sobre lo que me habría gustado ser: misionero, pero misionero aquí, en Madrid. No entiendo a esos curas que se van a salvar almas a la selva. Lo lógico es rescatar primero las de Madrid y, luego, si todavía tienes tiempo, las de Barcelona, Valencia, Sevilla y Bilbao, por este orden. La selva puede esperar. Yo creo que los curas que se van al Amazonas, o a África, no tienen verdadera vocación: se marchan porque no aguantan a su madre, o porque les gusta la aventura, porque si de verdad quisieran salvar almas se quedarían en Madrid. El domingo pasado fui al Retiro, empecé a contar almas y cuando iba por dos mil quinientas treinta y siete lo tuve que dejar porque pasé junto a una madre que estaba contando en voz alta las cucharadas de leche en polvo para el biberón de su hijo y me confundió. Pero, bueno, no había contado ni la mitad, y eso que yo así, a ojo, calculo mal. Y todas se estaban ahogando, o sea, que necesitaban un misionero que les trasmitiera la palabra de Dios y les hablara de las postrimerías.

Una vez, iba en el autobús, en el 40 —lo había cogido en López de Hoyos—, cuando noté un revuelo en la parte de delante. Me acerqué y resulta que estaba agonizando un hombre de unos cincuenta años. El conductor detuvo el autobús y preguntó si había algún sacerdote entre el público. Yo habría dado la vida por ser hombre y cura en ese momento y salvar el alma de aquel agonizante. Como no salía nadie, di un paso al frente y dije que era monja. «Una monja seglar», aclaré, pues iba con una falda un poco corta que al agacharme sobre el moribundo se me subió hasta los muslos. El desgraciado intentaba decir algo, así que acerqué mi oído a su boca y musitó:

—Un médico.

Un médico. Estaba muriéndose y lo único que se le ocurría era llamar a un médico. Yo me volví y dije que aquel hombre era negro y estaba pidiendo que le bautizaran. Como en casos extremos cualquiera puede administrar ese sacramento, pedí que fueran a por una botella de agua mineral a un bar y en un momento lo bauticé. Le puse de nombre Benito, porque soy muy partidaria de ese santo. Murió en mis brazos y espero que me haya perdonado la mentira sobre el color de su piel, pero quién se habría creído que estaba sin bautizar si hubiera dicho que era blanco.

El caso es que desde entonces, hace ya cinco o seis años de eso, los sábados y los domingos me disfrazo de hombre y frecuento lugares multitudinarios con la esperanza de que le dé a alguien una angina de pecho y pidan por la megafonía un sacerdote. Pero nada. Siempre piden médicos. El otro día, en un partido de fútbol, preguntaron si había algún cardiólogo entre los espectadores. Yo me presenté en la enfermería y dije que era cura, y que, si necesitaban un cardiólogo, también necesitarían un cura, pues una cosa va unida a la otra. Un sujeto fornido me sacó de allí de muy buenas formas, sin decirme nada, y lo peor es que al cogerme del brazo se dio cuenta, creo yo, de que era una mujer. Qué vergüenza.

O sea, que voy a cumplir cuarenta años y todavía no he salvado ni un alma por culpa de mi condición femenina. ¿Hay derecho a eso? Yo daría la vida por tener en Madrid una parroquia pequeñita, de pocas almas, por lo menos al principio. Ya iríamos creciendo. El caso es que por un cantante que vi en la televisión me enteré de que te pueden operar para convertirte en un hombre y dije ya está: me opero y me hago misionero. Además, soy una mujer un poco hirsuta, o sea, que tengo pelos por todas partes, de manera que las hormonas me las podía ahorrar. Pues se lo cuento a mi director espiritual y dice que de ninguna manera, que lo primero que tengo que hacer antes de meterme en el quirófano es dejar de creer en Dios. Pero si lo que yo quiero es salvar almas. ¿Cómo voy a salvar almas sin creer en Dios? Tú verás, me contesta, pero esa operación es pecado mortal, fijo que te condenas. Así que no sé qué hacer, si operarme y perder mi alma para salvar las de los otros, o no operarme, en plan egoísta, y salvarme yo a costa de que las almas de Madrid, Barcelona, Valencia, Sevilla y Bilbao, por este orden, se vayan al infierno. He escrito al Vaticano, para consultar, pero no me contestan.

HAY QUE CERRAR EL GAS

CUANDO estaban a 100 kilómetros de Madrid, camino de la playa, el padre de familia empezó a dudar si había echado la llave del gas. Con la mirada fija en la serpiente blanca que dividía el asfalto en dos mitades, rememoró sus últimos movimientos por el interior de la casa. Desde luego, había cerrado el paso del agua: se acordaba porque al salir de debajo de la pila se dio un golpe en la cabeza, donde aún tenía un bulto que ahora se tocaba con gratitud: gracias a él sabía que por el lado de las inundaciones no habría problemas. Luego había recorrido las habitaciones bajando las persianas con el cuidado de dejar una rendija por la que la vivienda respirara un poco durante la ausencia familiar. Recordó que la del cuarto del pequeño se atascó y que al desencajarla se había hecho un rasguño en el dedo. Contempló la herida para certificar que no había sido un sueño y continuó el recorrido. Ahora le tocaba el turno a la luz, cuyo interruptor general estaba un poco alto, por lo que era preciso subirse a una banqueta. Tras apagarlo, perdió el equilibrio y al caer se mordió por dentro el labio inferior. Acarició ahora con la punta de la lengua aquella herida de sabor eléctrico y también por ese lado se quedó tranquilo.

En realidad, aquellos pequeños accidentes no habían sido fortuitos. Siempre se los provocaba al salir de vacaciones para tener constancia de que las cosas quedaban en orden. Pero, maldita sea, no recordaba haber cerrado el gas. Sin dejar de prestar atención al tráfico, se revisó las manos con cuidado en busca de una uña partida o cualquier otra señal que evocara por asociación ese instante, y no la encontró. Definitivamente, se había quedado abierto. Lo normal es que no sucediera nada, pero si llegara a producirse un escape, por pequeño que fuera, la vivienda se convertiría en seguida en un polvorín. Bastaría con que alguien llamara al timbre de la casa de al lado para que la chispa eléctrica hiciera estallar el gas acumulado y se produjera la catástrofe. Vio la casa saltando en pedazos y desvió el coche hacia la derecha para detenerse en el arcén.

—¿Qué pasa? —preguntó su mujer.

—Nada, me ha parecido oír un ruido.

Descendió del automóvil, se fue a la parte de atrás, abrió el maletero para quedar oculto a las miradas de su mujer y de sus hijos y respiró hondo varias veces cubriéndose la nariz y la boca con las manos. De este modo (lo había leído en un libro de autoayuda), en lugar de aire, tomaba el anhídrido carbónico expulsado de los pulmones y conseguía una relajación pasajera.

—Había una maleta mal colocada —dijo al ponerse de nuevo al volante.

Arrancó más tranquilo, aunque con la cabeza llena de catástrofes, y entonces el pequeño de los niños hizo la pregunta fatídica:

—¿Falta mucho?

Él crispó las manos alrededor del volante y evitó

responder. En lugar de eso, adoptando un tono indiferente se dirigió a su mujer:

—¿No se te habrá ocurrido cerrar la llave del gas?

—Siempre te ocupas tú. ¿Se te ha olvidado?

La pregunta de ella coincidió con la del niño que insistía en averiguar cuánto faltaba. Como confesar su descuido habría sido muy humillante, se volvió hacia el pequeño y dijo mordiendo las palabras como un perro rabioso:

—Falta una eternidad. Si quieres saber lo que es una eternidad, imagina a una hormiga dando vueltas alrededor de la Tierra, haciendo siempre el mismo recorrido. Piensa en los millones de años que harían falta para que esa hormiga dividiera la Tierra en dos pedazos. En ese momento ni siquiera habría comenzado la eternidad.

—¿Entonces no llegaremos jamás, ni volveremos nunca?

—Así es —respondió el padre sin dejar de masticar las palabras como si fueran piedras, al tiempo que se metía debajo de un camión de gran tonelaje. Unos instantes después, en el infierno, comprobó que tenía chamuscadas las cejas y recordó que ésa era la señal efectuada al cerrar la llave del gas. ¡Lástima de accidente!

Una vida

Siempre tuve responsabilidades excesivas. Fui hijo único de unos padres mayores cuya salud era una pena, así que me pasaba el día cuidándolos mientras la gente de mi edad, en el misterioso Madrid de aquella época, se iniciaba en los vicios que constituyen la salsa de la vida. A veces, mientras esperaba la hora de darle el jarabe a mi padre o de ponerle la inyección a mi madre, me asomaba a la ventana y contemplaba, melancólico, a los hombres que acudían al burdel de enfrente de casa. Soñaba con sus cortinas rojas y sus camas altas de cabeceros dorados, y también con la ropa interior de sus mujeres. Y deseaba, Dios me perdone, que mis padres fallecieran para poder incorporarme al ritmo normal de la existencia. Pero ellos no fallecían: las enfermedades les habían proporcionado una fortaleza algo ruinosa, pero más eficaz que una salud de hierro. A mí, además de ir al burdel, me habría gustado fumar, pero los dos estaban de los bronquios y el médico me lo desaconsejó, de manera que ni ese vicio (tan barato e inocuo en aquella época) me fue permitido.

Cuando ya empezaba a pensar que eran eternos, murieron a causa de un accidente doméstico (la defectuosa combustión del calentador de gas) en el que nada tuve que ver. De hecho, tras la autopsia, la policía no me hizo una sola pregunta. Al fin se abría ante mí un horizonte de libertad. Lo primero que se me ocurrió fue ir al estanco para empezar a fumar cuanto antes, con tan mala fortuna que me enamoré de la empleada. Ella me desaconsejó iniciarme en ese hábito insignificante, porque por lo visto, mientras yo me ocupaba de mis progenitores, se había demostrado sin lugar a dudas que producía cáncer. En cambio, nos casamos en seguida y nos quedamos a vivir en la casa de mis padres, frente al burdel, al que no me pareció conveniente acudir en los primeros tiempos del matrimonio.

Lo malo es que en seguida empezamos a llenarnos de hijos y mi mujer me aseguró que podría resultar traumático para ellos ver entrar y salir a su padre de una casa de mala reputación. Además, me pasaba el día trabajando para sacar adelante a la familia, de manera que no tenía tiempo para nada. Algunos sábados, me asomaba a la ventana y miraba a la casa de enfrente con tristeza, imaginando a las prostitutas envejeciendo dentro de su ropa interior al mismo tiempo que yo en el interior de la casa donde ahora, poco a poco, fallecían mis ilusiones. Pensé que quizá nos jubilaríamos a la misma edad y que coincidiríamos tomando el sol en el mismo banco del parque. La idea me excitaba mucho sexualmente, pero mi mujer siempre andaba ocupada en los asuntos de la casa y no me hacía caso.

Entonces, decidí que cuando fuera viejo, una vez descargado de las responsabilidades familiares, me convertiría en un vicioso absoluto, incluso me haría drogadicto. Mis últimos años serían de un desenfreno tal que compensarían con creces la atonía de mi existencia anterior. Este propósito abrió un horizonte nuevo en mi vida y creo que hasta me rejuveneció, lo que resultaba fatal para mis intereses, pues lo que yo necesitaba era hacerme viejo cuanto antes.

Los hijos crecieron y mi mujer falleció en un accidente doméstico (también de gas) en el que tampoco tuve nada que ver. Mis hijos, al ver que no me podía valer porque estaba muy torpe, la verdad, me llevaron a una residencia de ancianos de la Comunidad. Yo pensé que estos lugares funcionarían a imagen y semejanza de la vida, así que al día siguiente de que me internaran empecé a preguntar a otros internos quién controlaba el negocio de la droga, pues quería hacerme cocainómano cuanto antes. Pero allí, no sé por qué, estaban prohibidas las drogas. Me interesé entonces por el prostíbulo, y tampoco había prostíbulo. Ni estanco. No había nada, excepto una red de informadores que me denunció a la dirección, así que fui trasladado al ala de los viejos dementes, donde al menos cada seis horas me ponen en vena una cosa muy parecida a las drogas que me hace dormir. Entonces sueño con haber llevado otra vida diferente, de mujeres y alcohol, por ejemplo. Ya no es posible. A lo mejor, de todos modos, aunque me parece que sí, no habría tenido aptitudes. Pero cómo saberlo.

La obra maestra

Aquel sujeto estaba muy frustrado porque a los 40 años no había cumplido el sueño de su vida: publicar una novela. Tampoco la había escrito, pero cómo la iba a escribir, por Dios, teniendo que trabajar como un negro para sacar adelante a la familia. Tampoco trabajaba como un negro, pues tenía un horario de oficina normal, de 9 a 18. Pero al volver a casa leía el periódico (dónde se ha visto un escritor que no lea periódicos), ayudaba a sus hijos con las tareas del colegio, y entre unas cosas y otras llegaba la hora de la cena. Es cierto que los niños se acostaban pronto, pero por la noche le gustaba ver la televisión junto a su mujer.

En realidad no le gustaba ver la televisión (los escritores, a esa hora, leen o escuchan sinfonías mientras se fuman una pipa), pero se sentía sutilmente obligado a ello por su esposa, que tenía un gran talento para menospreciar, sin que lo pareciera, las tareas intelectuales. Total, que había hecho el esfuerzo de venir a Madrid de joven, para convertirse en un escritor de fama, y en lugar de escribir se había casado con una mujer que astutamente le había alejado de sus verdaderos intereses. Aquel verano en el que cumplió 40 años fue, por fin, capaz de decírselo a sí mismo y escupírselo a ella:

—Yo era, de los de mi clase, el que mejores redacciones hacía. Tú eres la responsable de que no me haya convertido en un gran escritor.

Ella se sintió culpable de haber truncado una carrera tan prometedora, pero por la noche, consultando una enciclopedia literaria, le hizo ver que muchos escritores no habían triunfado hasta después de los 40. Por otra parte, en algún sitio había oído decir que la novela era un género de madurez. Le propuso, pues, que ese verano se quedara solo en el piso de Madrid mientras ella y los niños se marchaban a la sierra. Un mes entero, escribiendo ocho o nueve horas diarias, sin preocupaciones de orden doméstico, podía ser más que suficiente para alumbrar una obra maestra. De hecho, en la misma enciclopedia vieron algunos casos de novelas realizadas en quince días que habían pasado a la historia de la literatura. Le sobraba, pues, la mitad del tiempo. Aun así, ella se mostró firme en que dispusiera de los dos períodos de 15 días, por si le apetecía escribir más de una novela genial.

El primer día de libertad lo empleó, naturalmente, en afilar los lápices (Hemingway, según los libros, no hacía otra cosa) y en odiar a su familia. Se sentía tan a gusto paseando en calzoncillos por el salón, amenazando a la máquina de escribir con disfrutar de ella sexualmente cuando tuviera los lápices a punto, que deseó que su mujer e hijos desaparecieran del mapa. No quería para ellos ningún mal: sólo que se esfumaran de algún modo. Sentado en la terraza, con los pies en la barandilla, fumando una pipa detrás de otra mientras contemplaba el crepúsculo, imaginó que un platillo volante descendía en el pueblo de la sierra donde veraneaban y abducía a la familia, jilguero incluido, llevándosela para siempre a otro planeta. Podía ver los titulares del periódico: *Familia de escritor afincado en Madrid, raptada por extraterrestres.* Pero como no estaba demostrado que los extraterrestres fueran buenas personas y a su familia no le deseaba ningún daño, sólo que desapareciera, prefirió finalmente imaginar una catástrofe natural que destruyera en cuestión de segundos, sin que les diera tiempo a sufrir, la casita de la sierra con ellos dentro.

Al día siguiente no pudo escribir por culpa de los remordimientos; al otro porque le dolía la cabeza; y al cuarto porque con ese calor no había manera de sacar adelante una obra maestra. A la semana, sin embargo, se miró a los ojos mientras se afeitaba y reconoció que no escribía por falta de talento. Tampoco por eso, la verdad, porque talento le sobraba, sino por pereza. Escribir, en el fondo, era un trabajo de gente sin imaginación, de funcionarios. Así que decidió que era mejor marcharse a la sierra y continuar culpando a su mujer de no ser un genio. Además, si finalmente se producía la abducción, o la catástrofe, y él estaba allí, podría escribir la gran crónica. ¡Qué descanso!

MÁS BREVE TODAVÍA

ESCRIBIR

ESCRIBIR I

EL día en el que empezó todo, no tenía muchas ganas de escribir, de manera que para hacer tiempo fingí no saber si una palabra se escribía con be o con uve. Aquella duda retórica se convirtió misteriosamente en una enfermedad real, y en cosa de una semana al problema de las bes se sumó el de las haches, así que tardaba mucho en escribir una página porque tenía que consultar continuamente el diccionario. Creo que desarrollé una curiosa habilidad para evitar palabras que contuvieran esas letras, pero mis escritos de esa época jadean un poco al andar, como si estuvieran enfermos.

Al poco, comencé a padecer también de problemas sintácticos. Las frases se me quebraban a la altura de los verbos, como varillas de cristal demasiado finas. Me asusté un poco, porque vivo de fabricar esas varillas, así que intenté construir frases gruesas y cortas, del tipo *yo soy yo,* o *estoy perdido* pero también éstas se rompían. Una tarde escribí: «esto es una frase», y al poco dejó de ser una frase y se convirtió en un dolor de cabeza. En seguida olvidé qué cuerda había que rasgar para que se escuchara un adjetivo, y aunque descubrí que la de los sustantivos sonaba del mismo modo si la golpeabas de una manera especial, el esfuerzo me fatigaba demasiado.

Luego, en fin, se marcharon los verbos, primero los copulativos y a continuación los transitivos. Los intransitivos se resistían a caer, pero la verdad es que masticaba mal con ellos, así que me los arranqué yo mismo, con un cordel. Si puedo contarlo, es porque ahora abro cada día un libro de otro y recorto palabras que luego pego en un papel, como si fueran amenazas; en cierto modo lo son, aunque sólo para mí, porque a veces se me acaba el pegamento o la paciencia y no logro decir lo que quiero, pero creo que duermo más que antes. Y respiro mejor.

ESCRIBIR II

¿QUIÉN no ha visto agonizar en medio de espantosos sufrimientos a novelas que tenían toda la vida por delante? Nunca se sabe de qué depende su supervivencia; lo cierto es que a veces se les corrompe la sangre y no hay transfusión de tinta que las reanime. Lo más sensato, aunque no lo más fácil, en situaciones así es avisar al crítico forense para que levante el cadáver y firme el certificado de defunción. Muchos no se resignan y hacen con el cuerpo del relato auténticas barbaridades con las que sólo consiguen prolongar su agonía. Un escritor amigo mío, al que se le estaba muriendo una novela corta entre las manos, la llenó de tubos y le metió dos dosis diarias de monólogo interior durante dos semanas. El monólogo interior, en dosis altas, produce en el cerebro de la trama lesiones irreversibles, así que sobrevivió, pero en unas condiciones espantosas. Él, de todos modos, la quería.

Con las frases, aunque tienen menos células, pasa lo mismo. Delante de mí han muerto oraciones enteras que un momento antes tenían un aspecto excelente. De súbito, les falla el adverbio, que es el encargado de filtrar los humores glandulares y se quedan en el sitio, con un

113

color horrible, por cierto, aunque le inyectes en seguida un plural mayestático. El adverbio es más delicado que el hígado; se obstruye con nada. Un amigo le escribió a otro: «te quise como buenamente pude», y la frase falleció antes de que le llegara por culpa del «buenamente», que no filtraba bien el afecto. Se la podía haber mandado desadverbiada: «te quise como pude», pero habría quedado raquítica. El adverbio, si es bueno, matiza mucho la amistad, la hace más digerible y llevadera. Pero hay pocos y el trasplante te cuesta un riñón.

De todos modos, algunas novelas muertas pueden venderse como vivas con la ayuda de un forense poco escrupuloso y el amor del novelista. Pero hay que sacarles las vísceras, que se descomponen en seguida, y rellenarlas de serrín.

CONFLICTO

AQUEL tipo tenía dentro de sí un escritor bueno y un escritor malo que trabajaban a horas distintas. Aun así en los textos del malo se percibía finalmente un aliento de bondad, mientras que en los del bueno sonaba, cuando menos falta hacía, un estertor agónico procedente de la respiración del malo. Estaban tan cerca, en fin, que no podían dejar de influirse. Los lectores, según se colocaran en uno u otro lado de la identidad de aquel tipo, pensaban que se trataba de un mal escritor con aciertos geniales, o de un genio que se estaba echando a perder. Nadie, excepto el propio sujeto, advirtió nunca que aquel conflicto era el resultado del choque entre dos individuos diferentes que vivían en el mismo cuerpo y escribían con el mismo bolígrafo.

A ambos era preciso alimentar, así que el propietario del cuerpo leía bazofia para saciar el hambre del escritor malo y proteína pura, sin grasa, para mantener la línea del bueno. De este modo, el malo estaba cada día más gordo, mientras que el bueno se transformaba en pura fibra. Eso empeoró las cosas, pues si bien el aliento de bondad empezó a resultar más patente en los escritos del malo, los del bueno llegaban al público manchados de grasa, de manera que perdió a sus lectores o los sustituyó por meros consumidores. El malo, sin embargo, conquistaba día a día lectores de verdad, interesados en el proceso místico por el que la grasa aspiraba a convertirse en músculo.

El tipo habitado por estos dos artistas incompatibles veía con tristeza declinar el lado más noble de sí mismo y se sentía fracasado. Entonces dejó de leer estupideces para matar al malo de hambre y escribir una obra maestra. Pero el bueno, al perder ese estertor agónico, cayó en profundo abatimiento y se dio a la lectura de páginas con hidratos de carbono que destruyeron su gusto. Al poco, dejó de escribir.

El reportaje

UNA revista que pagaba muy bien me encargó escribir un reportaje sobre un cuarto de baño, así que me metí en el de unos amigos que se iban quince días de vacaciones, y les pedí que cerraran por fuera hasta su regreso. Aunque llevaba un excelente equipo de supervivencia, fue uno de los retos más duros de mi vida profesional. Pero resultó apasionante ver qué clase de registros emocionales se ponen en marcha, en una situación límite, frente a dentífricos con sabor a menta, cuchillas de afeitar roñosas o compresas con alas.

Lo conté todo en ese reportaje, incluso lo de las hormigas que a última hora de la tarde transportaban enseres diminutos desde una rendija de la base del bidé a un agujero situado en la parte de atrás del retrete. Algunos lectores me reprocharon que me las hubiera comido, sin comprender que lo hice en un intento por entablar con ellas algún tipo de trato cuando ya habían fallado todos los demás sistemas de comunicación. Una soledad alicatada hasta el techo es durísima. Por las mañanas la aliviaba aplicando la oreja a la rejilla del respiradero para escuchar las conversaciones entre la asistenta del quinto y la del séptimo (yo vivía en el sexto). Las dos estaban embarazadas, así que intercambiaban

117

diez minutos de temores a través del sistema de ventilación. Te ponía los pelos de punta escuchar los disgustos que les proporcionaban esos hijos todavía inexistentes, pues daban por supuesto que al no encontrar trabajo serían drogadictos, así que ya habían pedido plaza en un centro de desintoxicación.

El caso es que se negaron a publicar el reportaje porque el redactor jefe dijo que era un poco duro para una revista de decoración. Al final, se lo regalé a las asistentas, pensando que les haría ilusión que hablara de ellas, y consiguieron publicarlo con sus fotos en una revista parroquial, pero todavía no me han pagado.

LA CARNE

Sı fuera capaz de entrar y salir del propio cuerpo con la facilidad de los místicos, muchos días no entraría en él más para que hacer un poco de limpieza y comprobar, si acaso, que no lo ha ocupado durante mi ausencia una señorita de las que antiguamente cogían los puntos a las medias. Por las mañanas, me quedaría en la cama mientras él bajaba las escaleras y salía a entenderse con la realidad. Seguramente se metería en bares que detesto y fumaría puros baratos, quizá sería bebedor de pacharán, pero a mí me daría lo mismo con tal de que lo hiciera a mis espaldas. No me duele imaginarlo recorriendo las calles en busca de lo que más le perjudica. Comería en restaurantes económicos; daría una cabezada sobre la mesa de la oficina y al despertar comprobaría con amargura que en su estómago, en vez de una digestión, había tenido lugar un incendio.

Por la noche, nos encontraríamos de nuevo. Me metería un rato en él y encendería las luces, para producir la impresión de que se encuentra habitado. Hay tanta sed de cuerpo, que en cuando ven uno vacío dan una patada a la puerta y lo ocupan, sobre todo aquellas mujeres que antiguamente cogían puntos a las medias: ahora viven desencarnadas y se lanzan como fieras sobre cualquier oquedad corporal que les permita cultivar una pasión carnal, aunque sea la de arreglar las medias que han de arrancar a otras.

A pesar de esa sed, si fuera posible entrar y salir de la propia carne, yo viviría fuera de ella, sobre todo en invierno, para asomarme a la ventana sin otro afecto desordenado que el de la mera contemplación de los cuerpos que atraviesan la calle, y junto a los que puedo ver el mío, insepulto, vigilando las piernas de todas las mujeres, en busca de unas medias de cristal que siendo niño vio reparar a una mujer que entonces no tenía edad y hoy carece de cuerpo. Feliz año.

LAS MANOS

LAS dos manos se levantaron de la cama a la vez, pero la derecha se puso a trabajar en seguida: afeitó la cara, lavó el cuerpo, cepilló los dientes, buscó calcetines, y, luego, en la cocina, asió la taza y la llevó a la boca. Antes de salir a la calle aún tuvo que ocuparse de cerrar puertas y dejar una nota para la asistenta en la nevera. No paraba. La izquierda, siempre a remolque, colaboraba de mala gana en tareas auxiliares y luego se refugiaba en el bolsillo.

En el autobús, la derecha se ancló, algo crispada, a una barra de sujeción para evitar que el cuerpo fuera zarandeado; la izquierda, entre tanto, dormitaba, balanceándose, al extremo de su brazo. Cuando llegaron a la oficina, la derecha escribió un informe comercial y firmó los balances del último trimestre. Siete veces sonó el teléfono y la izquierda ni siquiera hizo ademán de cogerlo. Fue su contraria la que abandonando informes y balances descolgó el aparato y lo sostuvo junto a la oreja el tiempo necesario para liquidar el asunto. La izquierda recorría perezosamente con los dedos las irregularidades del escritorio descubriendo dibujos y geografías sorprendentes entre las imperfecciones de la madera o del barniz. Si hubiera habido alguna comunicación entre ambas, y la diestra, en lugar de trabajar tanto, hubiera escrito el diario de los descubrimientos de la otra, tal vez hubieran alumbrado una crónica de Indias.

Ya en la cama, de noche, a la hora del amor, mientras la diestra se refugiaba, pasiva, tras la espalda de la mujer, la izquierda anduvo por sus inglés, y se introdujo en todas sus cavernas. Cuando los cuerpos, agotados, adoptaron la posición del sueño y la izquierda rodeó la cintura de la esposa, la derecha llevaba ya un rato dormida debajo de la almohada.

EL CANARIO

CUANDO la reunión de trabajo se alargó más de lo debido, cerré los ojos un momento, para descansar, e imaginé que mi paladar se transformaba en una ojiva semejante a la nave de una catedral. A continuación, eliminé las muelas de la encía superior y sus huecos se convirtieron en las capillas laterales de aquella arquitectura. La lengua, reseca por culpa del tabaco, resultó ser un excelente suelo. Ancianas del tamaño de una oruga oraban en los bancos o ponían velas a sus santos preferidos. En esto, salió de la sacristía un cortejo con muchos monaguillos vestidos de rojo. Se disponía a oficiar un obispo.

Entonces, el de al lado encendió un cigarrillo y al taparme la boca para toser noté que algo entraba en ella. Miré con disimulo y vi que la tenía llena de ancianas diminutas, con las faldas revueltas. Las escondí desconcertado en el bolsillo de la chaqueta y volví a llevar la mano a la boca, para tapar el segundo estornudo. Esta vez salieron los monaguillos, el obispo, y unos turistas japoneses. Los reuní con las ancianas y mientras fingía prestar atención a una propuesta, los acaricié con los dedos. El bolsillo parecía un hervidero de insectos que intentaban trepar por mi mano. Cuando llegué casa, me acerqué a la jaula del canario y se los di a comer. El animal los devoró con una parsimonia un poco inquietante, disfrutándolos.

Al día siguiente, presa del remordimiento, fui a confesarme. Estaba arrodillado, cuando un huracán me hizo salir por los aires en compañía del cura y otros feligreses. Fui a parar con una pierna rota al interior de una mano de cuero y después al fondo de un saco desde el que se escucha ya el aleteo siniestro de un gran pájaro. Escribo estas líneas en mi agenda, apresuradamente, antes de ser devorado, por si cayeran en manos de alguien capaz de explicar qué diablos pasa.

GOTERAS

ME hice una grieta en el paladar con una corteza de pan duro y cada vez que había tormenta dentro de la cabeza caían desde esa herida a la lengua unas gotas que parecían de sangre, así que me las tragaba distraidamente y continuaba con lo que estaba haciendo. Pero como aquel líquido tenía cada vez un sabor más raro, tomé una servilleta de papel y lo escupí, para ver su aspecto; entonces me di cuenta de que no eran gotas de sangre, sino residuos de un pensamiento amargo, destilado por la inteligencia en una zona algo alejada del paladar. De manera que cuando alcanzaban la boca, habían recorrido ya todos los agujeros y cavidades de la calavera, recogiendo los desperdicios e impurezas que se encontraban al paso. De ahí, pensé, que llegaran tan turbios a la lengua, y con tan mal sabor.

Como la herida tardaba en cerrar, me acostumbré a aquel goteo constante de amargura. Durante el día me defendía de él escupiéndolo con disimulo, pero por la noche, mientras dormía, me lo tragaba sin querer y al día siguiente me levantaba con un ardor de estómago espantoso. Creo que fue entonces cuando empezó a formárseme la úlcera.

Una noche, me despertó lo que creí que era el ruido

de un grifo mal cerrado. Pero era la radio de la mesilla, cuyo rumor se parece al de una fuga de agua. De sus entrañas goteaban, como lágrimas, unas palabras que habían formado ya un charco en el parqué. Me incliné sobre él y vi que estaba compuesto por los pensamientos más tristes de quienes telefonean a las emisoras por la noche. Eran turbios también, como los míos, porque antes de filtrarse por las grietas del receptor habían recorrido la calavera de la realidad. Probé uno de estos pensamientos con la punta de la lengua y reconocí su sabor. Fue un respiro comprobar que la calavera de la realidad y la mía se parecían tanto. No estaba solo.

EL MÓVIL

EL MÓVIL

Eʟ tipo que desayunaba a mi lado, en el bar, olvidó un teléfono móvil debajo de la barra. Corrí tras de él, pero cuando alcancé la calle había desaparecido. Di un par de vueltas con el aparato en la mano por los alrededores y finalmente lo guardé en el bolsillo y me metí en el autobús. A la altura de la calle Cartagena comenzó a sonar. Por mi gusto no habría descolgado, pero la gente me miraba, así que lo saqué con naturalidad y atendí la llamada. Una voz de mujer, al otro lado preguntó: «¿Dónde estás?». «En el autobús», dije. «¿En el autobús? ¿Y qué haces en el autobús?». «Voy a la oficina». La mujer se echó a llorar, como si le hubiera dicho algo horrible, y colgó.

Guardé el aparato en el bolsillo de la chaqueta y perdí la mirada en el vacío. A la altura de María de Molina con Velázquez volvió a sonar. Era de nuevo la mujer. Aún lloraba. «Seguirás en el autobús, ¿no?», dijo con voz incrédula. «Sí», respondí. Imaginé que hablaba desde una cama con las sábanas negras, de seda, y que ella vestía un camisón blanco, con encajes. Al enjugarse las lágrimas, se le deslizó el tirante del hombro derecho, y yo me excité mucho sin que nadie se diera cuenta.

Una mujer tosió a mi lado. «¿Con quién estás?», preguntó angustiada. «Con nadie», dije. «¿Y esa tos?». «Es de una pasajera del autobús». Tras unos segundos añadió con voz firme: «Me voy a suicidar; si no me das alguna esperanza me mato ahora mismo». Miré a mi alrededor; todo el mundo estaba pendiente de mí, así que no sabía qué hacer. «Te quiero», dije y colgué.

Dos calles más allá sonó otra vez: «¿Eres tú el imbécil que anda jugando con mi móvil?», preguntó una voz masculina. «Sí», dije tragando saliva. «¿Me lo vas a devolver?» «No», respondí. Al poco, lo dejaron sin línea, pero yo lo llevo siempre en el bolsillo por si ella volviera a telefonear.

ESTÁN LOCOS

En el avión, a mi lado, iba un sujeto joven con traje azul, corbata amarilla, mandíbula cuadrada y un teléfono móvil a través del que daba órdenes compulsivamente. Eran las ocho de la mañana y antes de que el aparato despegara había sacado de la cama a medio Madrid. No contento con eso, una vez que alcanzamos la altura de crucero comenzó a despertar a Barcelona, a donde nos dirigíamos. Cuando la azafata nos ofreció un café, yo ya estaba hecho polvo, a pesar de haber tomado un Pharmaton Complex antes de ir al aeropuerto. Él, sin embargo, continuaba despertando gente con un entusiasmo que resultaba aterrador.

A las ocho y media, telefoneó a casa y preguntó si su hijo seguía con fiebre. Debieron de decirle que sí porque ordenó que le pusieran al pequeño un supositorio y a él un fax (no aclaró si por el mismo sitio) con las instrucciones del médico. Después de esta llamada se quedó mustio y dejó de telefonear. De todos modos, permaneció con el aparato en la mano derecha, cerca de las ingles, manoseándolo con el gesto distraído con el que los niños se tocan el sexo recién descubierto. En esto, se dio cuenta de que le miraba y se puso rojo, como si le hubiera sorprendido haciendo algo feo. Me concentré en el periódico, para disimular.

Cuando llegamos a Barcelona y se vio en los pasillos del terminal volvió a excitarse con la visión de las instalaciones aeroportuarias y recuperó la rigidez vertebral anterior. Antes de alcanzar la salida había realizado tres llamadas amenazadoras comunicando que acababa de aterrizar y que se dirigía al lugar de la reunión. Por mi parte, no llegué a pisar la calle: tomé el primer avión de vuelta y regresé al lado de un ejecutivo catalán que se disponía a conquistar Madrid con un móvil oscuro colocado entre las inglés, a modo de sexo inalámbrico. Cuando llegué a casa, me metí en la cama con una novela y hasta hoy. Están todos locos.

EL INFIERNO

ESTÁBAMOS enterrando a un amigo, cuando un teléfono móvil interrumpió con su sonido la grave ceremonia. Tras un breve intercambio de miradas reprobatorias, comprendimos que el ruido procedía del cadáver, cuyo féretro había sido abierto para que el finado recibiera el último adiós. La viuda, con más inconsciencia que valor, se inclinó sobre el muerto y sacó el teléfono de uno de los bolsillos de la chaqueta. «Diga», pronunció dolorosamente. No sabemos qué escuchó al otro lado, pero la vimos palidecer y gritar en seguida: «Fernando falleció ayer y usted es una zorra que ha destruido nuestro hogar». Dicho esto, interrumpió la comunicación y devolvió el artefacto a su lugar.

Al abandonar el cementerio, supe por alguien de la familia que había sido deseo del propio Fernando ser enterrado con su móvil, lo que constituyendo una excentricidad perfectamente afín a su carácter, me devolvía la imagen menos grata y oscura, de quien sin duda había sido una de las referencias más importantes de mi vida. Como es costumbre, me dirigí en compañía de los más íntimos a casa de la viuda, para darle consuelo. Ella nos ofreció un café, que estábamos saboreando mientras hablábamos de cosas intrascendentes, cuando sonó el teléfono. Tras unos segundos de terror, los presentes alcanzamos un acuerdo tácito: nadie había oído nada, ningún sonido de ultratumba se había colado en aquella reunión de amigos. Después de diez o doce llamadas, el aparato enmudeció y la propia viuda se levantó a descolgarlo. «No estoy para pésames», dijo.

Aquella noche, a la hora en la que los insomnes suelen descabezar un sueño, me levanté, fui al teléfono y marqué el número del móvil de Fernando. Lo cogieron al primer pitido, pero colgué antes de escuchar ninguna voz. Sólo quería comprobar que el infierno existía.

CONFUSIÓN

ANTES de que hubiera terminado de desenvolver el regalo de cumpleaños, sonó dentro del paquete un timbre, así que adiviné que era un móvil. Lo cogí y oí que mi mujer me felicitaba con una carcajada desde el teléfono del dormitorio. Esa noche, ella quiso que habláramos de la vida: los años que llevábamos juntos y todo eso. Pero se empeñó en que lo hiciéramos por teléfono, de manera que se fue al dormitorio y me llamó desde allí al cuarto de estar, donde permanecía yo con el móvil colocado en la cintura. Cuando acabamos la conversación, fui al dormitorio y la vi sentada en la cama, pensativa. Me dijo que acababa de hablar con su marido por teléfono y que estaba dudando si volver con él. Lo nuestro le producía culpa. Yo soy su único marido, así que interpreté aquello como una provocación sexual e hicimos el amor con la desesperación de dos adúlteros.

Al día siguiente, estaba en la oficina, tomándome el bocadillo de media mañana, cuando sonó el móvil. Era ella, claro. Dijo que prefería confesarme que tenía un amante. Yo le seguí la corriente porque me pareció que aquel juego nos venía bien a los dos, así que le contesté que no se preocupara: habíamos resuelto otras crisis y resolveríamos ésta también. Por la noche, volvimos a hablar por teléfono, como el día anterior, y me contó que dentro de un rato iba a encontrarse con su amante. Aquello me excitó mucho, así que colgué en seguida, fui al dormitorio e hicimos el amor hasta el amanecer. Toda la semana fue igual. El sábado, por fin, cuando nos encontramos en el dormitorio después de la conversación telefónica habitual, me dijo que me quería pero que tenía que dejarme porque su marido la necesitaba más que yo. Dicho esto, cogió la puerta, se fue, y desde entonces, el móvil no ha vuelto a sonar. Estoy confundido.

QUÉ ASCO

ME cuentan que el último grito en telefonía inalámbrica es un móvil que, en lugar de sonar, vibra. Si lo guardas en el bolsillo del pantalón, te hace cosquillas en la ingle cuando te llaman. Así, si estás en una comida de negocios, en vez de dar la nota públicamente, pides disculpas, vas al servicio, y una vez junto a la letrina, sacas el móvil por el bolsillo, o por la bragueta, lo que más te guste, evacuas la conversación, te lavas las manos bien lavadas y vuelves a la mesa.

Ya era hora de que alguien se diera cuenta del componente escatológico de la telefonía móvil y le pusiera remedio. Con los cajeros automáticos, al principio, también tuvimos que soportar lo nuestro. Ibas por la calle y de repente veías a un individuo haciendo gestos huidizos frente a una raja abierta en la pared. Lo malo es que de esa raja salía mierda, con perdón. No lo digo yo: lo decía Freud y lo demuestra Javier de la Rosa: entre el dinero y la caca existen tales vínculos que casi son la misma cosa, así que da pudor manosearla en medio de la acera. Los bancos se dieron cuenta de este trastorno intestinal y habilitaron esas cabinas de ahora que dan al usuario el grado de intimidad indispensable para realizar el acto.

Yo había dejado de ir a los restaurantes porque me daba náuseas ver cómo la gente se sacaba el móvil y hacía cochinadas con él delante de la comida, mientras los comensales intentaban mirar hacia otro lado. La solución vibratoria es definitiva, y muy excitante, sobre todo si a uno le han dejado de vibrar otras cosas. Ahora sólo falta que arreglen lo de las licuadoras, porque lo que es una vergüenza es ver, como he visto yo, en casas de personas cultas, un trasto excretor que arroja los líquidos por el pitorro de delante y los sólidos por el agujero de detrás. Y lo tienen en la cocina. Qué asco.

EXISTIR

CONTINÚA cortándome la respiración, como el primer día que la oí, esa voz de ultratumba que cuando metes el dedo donde no debes te contesta desde el otro lado de hilo telefónico: «el número marcado no existe». Cuelgo en seguida, arrepentido de haber atravesado de una forma tan tonta los límites de la realidad. Y me pregunto si en el lugar donde habita esa voz habrá también hoteles y restaurantes irreales, además de hombres, mujeres y animales domésticos que llevan una vida semejante a la nuestra, sólo que ellos intentan salir adelante sin existir, lo que quizá sea más sensato.

Después de escuchar esa voz que la Telefónica ha puesto al servicio de la nada, vivo durante una época dominado por el miedo a entrar sin darme cuenta en un bar quimérico donde los camareros se rían de mi pretensión de tomar un café. O de llegar, en un viaje de trabajo, a una ciudad dominada también por la pasión de la inexistencia, donde tendría que dormir en hoteles imaginarios y entenderme con colegas fantásticos hasta que lograra dar con un aeropuerto falso desde el que hubiera vuelos regulares a casa.

Me preguntó si a las personas que no existen les produciremos el mismo horror que ellas a nosotros. Lo cierto es que a veces suena mi teléfono y tras el «diga» habitual cuelgan precipitadamente al otro lado. Quizá se trate de alguien inexistente que ha dado por equivocación con un número real y se le ha cortado la respiración como a mí cuando doy con uno de mentira. En cualquier caso, es hora de que el gobierno entre en contacto con las autoridades de ese mundo raro, para llegar a acuerdos que nos permitan viajar de un lado a otro, e incluso quedarnos en el lado de allá si Cuevas y Botín, tras ganar las elecciones, ponen de moda contratos de trabajo irreales con los que sólo podríamos ganarnos una vida imaginaria.

¡CUIDADO!

CADA día es más difícil evitar que te regalen un móvil. Ayer me salió uno dentro de una chapata integral. Al principio creí que se trataba de un bicho y fui a denunciarlo, pero me explicaron que era una campaña. No puedes viajar en primera, cambiar de coche, ni comprar una enciclopedia sin que te encasqueten una de esas cucarachas digitales. Cuando te levantas a medianoche, el suelo del salón está lleno de móviles que merodean entre las copas sucias y los ceniceros llenos de colillas en busca de desechos verbales. Hay más móviles que conversaciones telefónicas, así que se alimentan de cualquier detritus capaz de evocar una forma dialogada.

Y si después de comer te quedas dormido en el sofá, el móvil abandona el bolsillo, trepa hasta la oreja, y vaga por sus bordes como un escarabajo alrededor del cubo de la basura. A lo mejor, incluso, te obliga, sin que tú lo sepas, a hablar con alguien que tienes dentro de la cabeza. Porque estos trastos, más que para comunicarse con personas reales, sirven para entablar contacto con las obsesiones. Desde ellos te comunicas con el lado fantasmal de tu jefe, de tu mujer, de tu madre, de tus amigos o enemigos.

Ahora no puedes salir de casa sin que te regalen uno,

así que tarde o temprano caerás en la tentación de llevártelo al oído. En ese instante percibirás la calidad de abdomen que tiene su teclado y sabrás, como una maldición, que has incorporado a tu vida un parásito que se pega al pabellón auricular con la eficacia de una sanguijuela al muslo. A lo mejor, en un arrebato de asco, eres capaz de arrancártelo, aunque duela, y de arrojarlo al suelo para acabar con él de un pisotón. Lo malo es que suena como las cucarachas y te deja el zapato perdido de esa sustancia blanquecina que segregan las conversaciones espectrales. Lleva cuidado, amigo.

EL SALTAMONTES

UNO de los instantes más delicados en el proceso de maduración de un niño es cuando se cruza en su existencia, por primera vez, un saltamontes. Si tiene la fortuna de encontrarse junto a adultos de carácter práctico, que simulan no haber visto al bicho, el pequeño adquirirá en seguida la capacidad de distinguir la fantasía de la realidad. Si, por el contrario, quienes le acompañan en ese momento decisivo para su formación se refieren al saltamontes con la naturalidad con la que hablamos de las cosas reales y tangibles, el niño permanecerá atónito durante el resto de su vida.

Y es que ese animal extravagante que cae de súbito en la mesa del desayuno para añadir un punto de desasosiego a una jornada de verano que se prometía feliz no viene de la acacia cercana, ni del seto de boj, sino del sueño del que acabamos de despertar o, en todo caso, de una dimensión vecina a la nuestra cuyos tabiques no están bien sellados por algunas junturas. De hecho, una de las cosas más deconcertantes para los biólogos es que las plagas de langosta, compuestas por millones de individuos, surgen de la nada y regresan a ella con la agilidad de un conejo en la chistera del prestidigitador. Finalmente, se ha improvisado una explicación inverosímil: que el saltamontes actúa como un insecto social o solitario según determinadas condiciones ambientales no específicas.

En cualquier caso, aunque desde el punto de vista económico es más perjudicial en su versión gregaria, lo que perturba de él es su soledad entomológica y su mirada globulosa cuando aparece en tu vida como el que cae de Marte. Su hábitat preferido es el pensamiento de niños desocupados y de padres ociosos. Si lo tratas como si fuera una fantasía, salta y se va en seguida a otra cabeza. Pero si se te ocurre jugar con él, ya nunca diferenciarás lo verdadero de lo falso.

LA HORMIGA

LAS hormigas, a primera vista, parecen animales, pero se ha demostrado que son piezas de un complejo sistema tecnológico distribuido en forma de red sobre la Tierra. No sabemos al servicio de quién están, pero poseen sobre nosotros una información exhaustiva. Si abres un hormiguero, puedes hallar en él las cosas más diversas: desde un grano de arroz a una lámina de caspa o una viruta de la uña del pie de un general. Toman muestras de todas nuestras secreciones y las procesan en el interior de unos laboratorios subterráneos que adoptan la forma de vivienda animal.

Se autorregeneran con una facilidad sorprendente, imitando también los comportamientos de algunos ovíparos. Las hembras tienen en su abdomen una espermateca desde la que administran el jugo seminal produciendo obreras o machos (¿protones o neutrones?) según las necesidades de la red. Son capaces de vivir en un bosque tropical o en un apartamento de Nueva York, así que forman sobre la faz del planeta un circuito ininterrumpido capaz de vehicular más información y a mayor velocidad que el sistema informático más sofisticado. Todo ello sin averías de importancia y sin producir desechos dignos de destacar, ya que son biodegradables.

La tecnología punta, pues, existe y es muy antigua, aunque sólo somos capaces de reconocerla bajo su apariencia económica. Una de las cosas más desconcertantes de las hormigas, en efecto, es que son gratis, pese a que un chip capaz de realizar sus funciones costaría hoy por hoy un ojo de la cara. El dinero no nos deja ver; en cambio, cada día somos observados por millones de estos insectos aparentes que se comportan como signos móviles de una caligrafía indescifrable. Cuando notas un hormigueo en la espalda, ten la seguridad de que alguien, desde un lugar remoto, toma notas.

LA CUCARACHA

LA cucaracha es, de entre todos los cuerpos extraños alojados en las hendiduras de la realidad, el menos retórico. Comparado, no ya con el de otros animales, sino incluso con el de frutos tan aparatosos como la papaya, el mangostán, la granada o el dátil, su diseño sale ganando en sencillez compleja y funcionalidad. De ahí su éxito biológico: ha sobrevivido millones de años sin modificar la expresión. Podemos afirmar que hubo cucarachas en la cocina de Descartes, en la despensa de Kant, y en el retrete de Inocencio VIII.

Sin embargo, jamás han sido objeto de atención por parte de filósofos o escritores. Sólo Sartre, en sus memorias, recuerda que de niño vio escapar de su zapato derecho una cucaracha que de otro modo habría perecido aplastada por su pie desnudo. Descubrió a la vez el estrabismo y los insectos (quizá pensó que éstos eran un efecto de aquél), lo que no se ha valorado a la hora de calificar sus relaciones con Camus. Camus estaba obsesionado con las ratas, de las que no nos ocuparemos por ahora, ya que esta serie refrescante está dedicada en exclusiva a cuerpos extraños, no mamíferos.

Así que cuando este verano veas triunfar en las revistas del corazón a Gunilla Von Qué o Isabel Preysler no olvides que en Marbella o Ibiza también hay cucarachas con las que tarde o temprano se tropezarán. A todos nos espera, como a Sartre, un bicho de éstos escondido en el zapato o agazapado tras una madrugada de amor y lujo. Ello es así porque tenemos muchas grietas húmedas que constituyen su hábitat natural. No hay rendija sin cucaracha como no hay país sin bandera; una cosa lleva a la otra. Por cada una que matas nacen 100 en los intersticios cerebrales. Algunos, como Gunilla Von Qué, se arrancan el cerebro, pero entonces les salen por las ranuras de la porcelanosa. La vida.

EL ESCARABAJO

LOS escarabajos llevan sobre sí su propio ataúd, de ahí ese tambaleo que caracteriza su manera andar. Los hay de muchas clases, lo mismo que hay funerales de primera o tercera, pero todos tienen un acabado que no conocen, ni de lejos, los féretros de los cardenales, los emperadores o los príncipes. Los más hermosos se encuentran en la hojarasca, debajo de las piedras, o en la corteza de los árboles. Hay uno, el golpeador, que vive en túneles excavados en las habitaciones de los enfermos, desde donde produce un tic tac agónico dirigido a los que van a morir. Por eso se le conoce también como el reloj de la muerte. El de nariz sangrante te deja en la mano una gota de líquido rojo, y el llamado rinoceronte abre al atardecer las dos partes de su estuche para convertirse en un ataúd volador que llena de conjeturas el crepúsculo.

La primera vez que das con un escarabajo debajo de una piedra es como ese instante único en que notas la agitación de un pensamiento escéptico debajo una idea convencional: te abres sin querer a formas de conocimiento cuya existencia ni siquiera habrías podido sospechar. Y si le das la vuelta a la idea, o al escarabajo, verás que su abdomen, en forma de bóveda, constituye un firmamento inabarcable, con sus cuerpos celestes y sus agujeros negros por cuyos túneles, igual que por el interior de una galería de madera, podrías acceder a las zonas más enfermas de ti para cronometrar, como el golpeador, la agonía de conceptos inhábiles.

Si este verano, al arrancar la corteza podrida de un árbol o al levantar un pensamiento nocivo, ves una familia de escarabajos o un conjunto de ideas arrastrando pesadamente un ataúd, puedes estar seguro de que has dado con la combinación perfecta entre lo blando y lo duro, lo muerto y lo vivo, el tópico y la idea original. Enhorabuena.

El caracol

Si hemos de creer a algunos expertos en la creación del mundo, el caracol se ejecutó al final, con las rebañaduras de las partes blandas del resto de la vida, igual que esa tortilla viscosa que los cocineros ahorrativos hacen con el huevo que sobra de rebozar los filetes de merluza. Está compuesto, pues, de virutas albuminoideas, caspicias membranosas, despojos elásticos y migajas celulares conjuntivas. Es el producto de la última expectoración de la maquinaria creadora, de ahí su aspecto visceral. Como el resto de los invertebrados, llegó tarde al reparto del tejido óseo, y hubo que colocarle encima una ensaimada de sarro, llamada concha, que hace las veces de un esqueleto externo.

Pese a sus humildes orígenes, este animal excéntrico, que no servía para nada, logró conquistar un espacio propio entre los cuerpos extraños, no ya trabajando como símbolo de esto o de lo otro en las mitologías partidarias de la lentitud, sino incluso como perversión gastronómica de las clases altas. Se desplaza con un pie ventral muy rudimentario que produce movimientos hipnóticos, por lo que también ha sido utilizado como modelo para la fabricación del Valium 10, el Trankimazín y demás compuestos farmacéuticos productores de esa pereza epitelial y calma blastoderma con la que se combaten los trastornos de angustia y la ansiedad.

Tiene un pariente pobre y pulmonado, la babosa, que es en esencia un moco cavernoso. Si le haces la autopsia y observas con atención sus meatos, puedes ver resumido todo el proceso de la creación del universo, igual que de un análisis de orina deduces el riñón. Entonces te das cuenta de que el mundo ha sido hecho por un temperamento obsesivo, muy preocupado de que no faltara de nada. Y no falta, pero es evidente que sobra el caracol o al menos su cuñada, la babosa.

La araña

AL observar con atención los movimientos de una araña, tú mismo comienzas a producir en seguida un jugo mental que adopta las formas de una red en la que caen ideas con apariencia de insecto. Cada vez que se produce un golpe en el tejido, has de acudir deprisa hacia la idea atrapada en él e inyectarle un veneno líquido que la inmovilice sin matarla, para que se mantenga fresca hasta la hora de la comida. Así es como vienen trabajando las arañas y los sabios, desde Platón a Einstein, desde Confucio a Hawking.

Es cierto que no siempre caen en la trampa teorías de la relatividad, manzanas de Newton o principios de Arquímedes; sería tanto como que en la tela de la araña cayeran sin cesar libélulas o caballitos del diablo. Pero si tienes paciencia, y tu malla reflexiva es capaz de resistirlo, puedes cazar un moscardón que te mantenga mentalmente ocupado media vida. No es lo mismo un moscardón que una mariposa, pero todas las ideas, por groseras que parezcan, llevan el abdomen cargado de melazas suculentas como la intuición o licores ácidos como el presentimiento.

La araña, pues, más que cuerpos físicos, atrapa conceptos; ella misma parece el producto de una idea. Observándola con detenimiento te das cuenta de que la realidad, antes que un artefacto dotado de volumen, es una forma de meditación imperfecta, un pensamiento sin pulir, lleno de grumos, que nos distraen de la meditación trascendental precisa para completar nuestra metamorfosis. De ahí la sensación de estar inacabados y la conveniencia de contemplar el pensamiento textil de las arañas, porque su reflejo produce en nosotros la secreción de un tejido mental en el que podría caer atrapada una idea envolvente y sutil de la que surgiríamos, como la oruga, convertidos al fin en mariposas.

VICENTE HOLGADO

EL HOMBRE DE LA BARBA

VICENTE Holgado fue por primera vez al colegio a los seis años, y aunque acabó acostumbrándose a la experiencia, nunca llegó a olvidar aquella remota mañana del mes de octubre en la que su madre lo abandonó en una especie de océano de niños sobre cuya superficie flotaban, como aves sin pico, las tocas blancas y negras de las monjas. El terror de aquel día de colegio, o su calidad, habría de reeditarse a lo largo de su vida varias veces —con ocasión del servicio militar o del primer trabajo—, pero sin alcanzar su temperatura.

Su madre, que quizá estaba tan asustada como él, llevaba varios meses preparándole para ese momento. Le hablaba del colegio a todas horas, narrándole sus excelencias y transmitiéndole la importancia que para el ser humano tiene el aprendizaje de la lectura y la escritura, además de otras artes cuya enseñanza se confiaba también a aquella institución. Pero por debajo de sus palabras y, sobre todo, de su insistencia, se percibía un movimiento de temor que era lo único que Vicente escuchaba, quizá porque los niños son los únicos capaces de oír lo que no se dice, especialmente cuando lo que no se dice es más importante que lo hablado. De manera que aquellas largas peroratas con las que la madre intentaba tranquilizar a Vicente —o quizá a sí misma— no consiguieron otra cosa que infundir en el niño un temor que a lo mejor de otro modo no habría llegado a sentir.

Iba, pues, preparado para enfrentarse al terror y se encontró con él. El desgarro que sintió cuando la mano de su madre se separó de la suya fue como si le hubieran amputado un miembro; más que una separación, parecía un corte. Y cuando todavía se estaba haciendo cargo de la herida giró la cabeza y se encontró rodeado por ojos, bocas y narices que al modo de un espejo múltiple reflejaban su propio terror. Sentir miedo era malo, pero verlo fuera como se veía en las caras que permanecían a su altura era, sencillamente, insoportable.

Pasados los primeros días, cuando el miedo, más que ceder, empezaba a encontrar acoplamiento en su conciencia, tuvo su primera clase de gimnasia. Se trataba de la única clase que no impartían las monjas. El profesor era un sujeto de estatura media y mirada ansiosa que mostraba en aquel universo de rostros o bien infantiles, o bien femeninos, la particularidad de poseer una hermosa barba que tenía también algo de antifaz, pues sus primeros pelos arrancaban casi de los mismos pómulos. Algo importante le pasó por la cabeza a Vicente Holgado cuando vio a aquel sujeto cuya mirada, o cuyos movimientos quizá, le resultaron tan familiares. Antes de acabar la clase, el niño ya estaba convencido de que aquel señor era su padre, que para dar clase de gimnasia se ponía una barba postiza al objeto de que su hijo no le reconociera, evitando así cualquier intento de obtener un trato de favor frente al resto de sus compañeros.

La seguridad de que su padre formaba parte de las personas mayores que dirigían el colegio aminoró su temor. Sentía además un orgullo silencioso que en aquella época le sirvió para magnificar la figura de su padre, a la que nunca había prestado demasiada atención enamorado como estaba de su madre. En las clases procuraba permanecer cerca de él y cuando le miraba tenía la impresión de que se establecía un movimiento de complicidad entre ambos, como si los dos supieran que el otro sabía, aunque un pacto implícito de silencio impidiera hablar del gran secreto. Con alguna frecuencia, Vicente Holgado jugaba a la fantasía de dar un tirón a la barba postiza de su padre para que todos sus compañeros vieran en realidad de quién se trataba. Pero naturalmente nunca llegó a hacerlo, porque intuía que con aquella complicidad establecida entre los dos su padre le venía a decir algo así como que ya era un hombre y un hombre debe saber atenerse a las reglas del juego. La transgresión más grande que se permitió fue la de curiosear por los cajones de su casa en busca de la barba postiza, aunque sin ningún resultado, por lo que dedujo que debía guardarla en el colegio.

Un día, cuando los niños llegaron a la clase de gimnasia se encontraron con un instrumento de cuatro patas que sostenían una especie de cilindro forrado de piel. El profesor les explicó que se llamaba potro y que servía para ejercitarse en el salto. A continuación se pusieron en fila y fueron saltando de uno en uno aquella cosa que evocaba el cuerpo de un caballo sin cola y sin cabeza. A Vicente Holgado, sin embargo, le faltó el valor preciso para dar el salto y frenó en seco ante el potro y ante las risas humillantes de sus compañeros. Él sonrió para sus adentros pensando que su padre saldría en seguida en defensa suya y callaría a aquella pandilla de imbéciles que no sabían quién era el profesor de gimnasia. Lejos de eso, su padre se unió a las burlas de los chicos y le obligó a intentarlo tres veces más, sin que Vicente, humillado y rabioso, lograra superar el obstáculo. La crueldad de su padre llegó al punto de tacharlo de cobarde delante de todos antes de que acabara la clase.

Vicente no se lo perdonó. En casa miraba a su padre con un odio infinito sin que éste llegara a comprender el cambio operado en la actitud de su hijo. Con el paso del tiempo desapareció de su cabeza este suceso de infancia, pero el odio, curiosamente, permaneció intacto. Sólo muchos años después, siendo Holgado ya un adulto y con su padre al borde de la muerte, recordó este raro acontecimiento y comprendió, cuando ya era muy tarde, que había odiado durante toda la vida a su padre por algo que no había llegado a suceder.

UNA MUERTE RENTABLE

VICENTE Holgado se casaba sucesivamente porque tenía miedo a las diversas muertes que acechan a los solteros, pero se divorciaba sucesivamente también porque lo que más le gustaba del mundo era la libertad. Hace poco, encontrándose en uno de sus períodos de divorcio, un tirón muscular le atravesó el pecho mientras se duchaba y se quedó seco, inmovilizado: cada vez que intentaba elevar una pierna para abandonar la bañera, se le desgarraba el cuerpo. Finalmente, aullando de dolor, se dejó caer sobre el suelo esmaltado desde donde intentó cerrar el grifo inútilmente: sólo el pensamiento de levantar el brazo le dolía.

Entonces se puso a llorar; al principio no lo notó, porque las gotas de agua se confundían con las lágrimas y resultaba fácil hacer pasar una cosa por otra. Pero cuando transcurrió el tiempo y el nudo muscular del pecho, lejos de deshacerse, se endureció, sintió un ataque de pánico. De todas las muertes de soltero que había sido capaz de imaginar, la de la bañera era, con mucho, la peor. El agua, de súbito, comenzó a salir más caliente, de manera que intentó acercarse a los grifos para manipularlos con la boca, pero todos sus esfuerzos resultaron fallidos. Parecía un náufrago al revés, o quizá un reptil en el fondo de un desierto esmaltado. Quiso llorar con desesperación, pero la desesperación le obligaba a mover demasiado los músculos del pecho, lo que le producía terribles dolores. Finalmente, su llanto se transformó en un gemido prolongado y monótono. En esto, oyó sonar el teléfono en el salón, pero el timbre le pareció una carcajada diabólica; de todos modos, por si se producía un milagro, musitó varias veces en voz baja: «diga, diga...» Precisamente, un amigo obsesivo que ahora estaba en Nueva York había prometido traerle un inalámbrico para hacer frente a situaciones como ésta. No cabía imaginar peor suerte.

Por otra parte, había cambiado la bombona de butano la semana anterior, de manera que quedaba agua caliente para rato. Y lo peor es que su temor a morir por inhalación de anhídrido carbónico, que es el gas que producen los calentadores cuando queman mal, le había llevado a colocarlo en el tendedero: no había, pues, ninguna posibilidad de fallecer dulcemente asfixiado.

Cuando más negros eran sus pensamientos, oyó ruidos en la puerta de entrada y luego unos pasos recorriendo el salón. Con un hilo de voz, porque si gritaba mucho sentía un puñal en la mitad del pecho, empezó a pedir socorro. Al fin se abrió la puerta del cuarto de baño y apareció su última ex mujer, que aún tenía una copia de la llave porque había quedado en volver a por sus cosas cuando él no estuviera. Permaneció un rato en la puerta, como si estuviera sumida en una ardua reflexión, pero después hizo como que no había visto nada y salió. ¿Seré un sueño?, pensó y continuó llorando mientras oía los tacones de la mujer y su voz, que entonaba un bolero.

De súbito pensó que Madrid era muy grande y que

sucedía de todo; es decir, que en ese mismo instante habría alguien más agonizando como él en el suelo de una bañera. Poco antes, había leído en el periódico que una anciana permaneció tres días en la de su casa antes de ser rescatada. Cerró los ojos e intentó establecer una comunión espiritual con los desgraciados que se encontraban en su situación. Entró en contacto con cuatro, todos muchos más viejos que él, y los ayudó a morir mientras su ex mujer recogía sus últimas cosas y rematatba el último bolero. Cuando se fue, cerró la puerta sin violencia: era la primera vez que una mujer se iba de su casa sin dar un portazo y eso le pareció una conquista moral por la que merecía la pena morir.

CAMBIO DE IDENTIDAD

VICENTE Holgado era tenido por tonto en su localidad natal, pero él tardó mucho tiempo en darse cuenta. Como era muy tozudo, logró acabar el bachillerato a base de forzar la memoria y de seducir al profesorado con la bondad de su mirada. Luego fue viendo cómo sus compañeros de estudios se colocaban aquí o allá mientras él permanecía ocioso en el interior de su casa. Bueno, la verdad es que ocioso tampoco estaba todo el rato, pero se dedicaba al estudio de cosas raras, como el influjo de las flatulencias de los dinosaurios en el calentamiento de la Tierra y en la aparición del efecto invernadero. Había comprobado que las plantas que comían los dinosaurios se transformaban durante el proceso digestivo en gas metano que al ser expelido en forma de ventosidad producía cambios importantes en los sistemas de vida entonces existentes. Muchos años más tarde, el prestigioso geoquímico Simon Brassell, de la universidad de Indiana, presentaría semejantes conclusiones en un simposio celebrado en EE UU con asistencia de los científicos más importantes del momento. Vicente Holgado fue más allá: llegó a calcular el número de desodorantes en spray que había que consumir para producir en la atmósfera un daño semejante al de la flatulencia de un solo dinosaurio. Pero, claro, estas cosas no eran apreciadas en su localidad natal. Por eso a Vicente Holgado no le daba empleo nadie. Es cierto que trabajó en una ferretería durante algún tiempo, pero fue despedido porque se entretenía mucho con los clientes, a quienes explicaba la ley de la palanca cada vez que vendía un destornillador. Su fascinación por la mecánica le llevaba a pronunciar una conferencia a cada cliente.

Al ser expulsado de la ferretería, reflexionó sobre sí mismo y alcanzó la conclusión de que era tonto, al menos si se comparaba con las personas de su edad, que a esas alturas de la vida gozaban de trabajos estables y habían empezado a casarse y tener hijos. Él era tratado en todas partes con una simpatía no exenta de paternalismo, pero comprendió que no obtendría nada más de sus conciudadanos porque todos se habían dado cuenta de que era tonto.

Fue entonces cuando decidió que debía emigrar a una gran ciudad donde su defecto no fuera conocido. Pensó que le bastaría con disimular para que nadie se diera cuenta y así podría montarse una existencia igual a la de los otros, con un trabajo, una casa, una familia, en fin, todo aquello que proporciona felicidad a los seres humanos.

Cuando llegó a la gran ciudad, buscó una pensión barata donde montar su centro de operaciones. Al principio se limitó a observar a la gente para reproducir luego su comportamiento con la habilidad de un actor. Siempre llevaba encima un cuadernito donde tomaba nota de las frases que oía y que le parecían especialmente útiles para ocultar su condición de disminuido psíquico. Luego, por la noche, en la pensión, las memorizaba y las reproducía frente al espejo procurando adoptar las actitudes que había visto en los otros al pronunciarlas. Aprendió a cruzar las piernas siempre que iba a soltar una afirmación demasiado rotunda y a levantar las cejas interrogativamente cuando se trataba de aminorar el efecto de un juicio.

Al mes consideró que estaba listo para buscar trabajo. Se puso el traje y la corbata guardados en el armario, se afeitó, se peinó y fue a mirarse en el espejo: nadie habría dicho que era tonto. Salió a la calle y visitó un número indeterminado de empresas cuyos anuncios había visto en el periódico. Se quedó en una dedicada a la venta de enciclopedias a domicilio. Normalmente, los agentes concertaban una entrevista por teléfono, pues debido al incremento de la inseguridad ciudadana pocas personas abrían la puerta a vendedores ambulantes de los que no se tenía noticia previamente. Vicente Holgado consiguió disimular muy bien su mentecatez. Además, la venta de enciclopedias le permitía lanzar discursos, que era lo que más le gustaba, de manera que pronto gozó de unos ingresos estables y, lo que es más importante, contaba con el aprecio de sus compañeros y jefes, ya que ninguno llegó a advertir que Holgado era subnormal. Tal era su capacidad para el disimulo.

Como era un hombre dado a las especulaciones, pronto advirtió que la gente compraba mejor las enciclopedias cuando podían poner en éstas una carga de afecto duradera: por ejemplo, cuando pensaban que sus hijos serían más cultos con esa posesión. Entonces se le ocurrió empezar a visitar domicilios en los que había muerto recientemente el padre de familia. Se presentaba allí como si no supiera nada para llevar «el pedido solicitado por don Fulano de Tal». La viuda o los hijos se hacían cargo siempre de la enciclopedia pensando que había sido el último deseo del difunto, que quizá no había dicho nada para dar una sorpresa a la familia.

De este modo Vicente Holgado llegó a ser en poco tiempo el vendedor número uno de su empresa. Ascendió, controlando un numeroso grupo de vendedores que trabajaban para él, y empezó a salir con una chica que parecía muy enamorada y a la que nunca confesó que era tonto. Pero pronto se cansó de esta vida. Es cierto que ganaba dinero y que gozaba de la consideración de todo el mundo, pero a él lo que le apetecía de verdad era ser tonto y dedicarse a las cosas a las que se dedicaba cuando era un mentecato. Así que dimitió. Su jefe no podía entenderlo y apremiaba a Vicente para que le explicase las razones de esta dimisión tan absurda. Entonces Vicente le confesó que era tonto, pero que lo había disimulado. Al principio el jefe no se lo creía, pero cuando comprobó la obcecación de Holgado le dijo: «Es usted tonto, pida el finiquito y váyase de aquí ahora mismo».

Su novia, horrorizada, le abandonó cuando se enteró de que había estado saliendo con un disminuido. Entonces Holgado, feliz por haber recuperado su verdadera identidad, se dedicó al estudio de las tormentas.

La última aventura sentimental
de Vicente Holgado

Un día iba Vicente Holgado por la calle y se enamoró de una chica que pasó a su lado. Como se trataba de una sensación nueva para él, decidió alimentarla. Pensaba en ella todo el rato, reconstruía su melena oscura, sus ojos de asombro, sus cejas anchas y la curvatura de sus labios. Pero a medida que los días pasaban la imagen de la chica iba borrándose de su memoria hasta que su rostro se hizo totalmente transparente. Desesperado, Vicente Holgado intentó reconstruirla desde el cuerpo. Recordó que iba con unos pantalones vaqueros y una camiseta de tejido fino que se espesaba en las zonas en las que se superponía a la ropa interior. Era delgada y alta y caminaba algo inclinada hacia adelante, como si la empujara por la espalda un viento que la naturaleza hubiera creado sólo para ella. De este modo conseguía llegar hasta el cuello, pero entre éste y la melena se estableció un espacio en blanco en el que no encajaba ninguna nariz, ninguna boca, ninguna de las miradas que Vicente era capaz de imaginar. Su amor no decreció por eso.

Transcurrió el tiempo y volvió a verla en unos grandes almacenes. Vicente Holgado había ido allí a alquilar unas cuantas películas de vídeo para pasar el fin de semana cuando le dio la hora de comer. Subió a la cafetería y pidió un plato combinado y una botella de vino. Justo en el momento de clavar la punta del cuchillo en la pechuga de pollo, recibió un aviso indefinido que le hizo levantar la vista del plato. Entonces la vio, tres mesas más allá, consumiendo sin prisas un plato de verduras. Ya no pudo seguir comiendo. Ella iba vestida como en la anterior ocasión y Vicente Holgado habría jurado que hasta los mechones de su pelo guardaban exactamente el mismo orden que en la primera visión. La observó con detenimiento, aun a riesgo de resultar impertinente, para guardar en el recuerdo cada uno de sus rasgos y reproducirlos luego con lentitud, como si los rumiara, en la soledad de su apartamento.

Sin embargo, a los cinco minutos de esta contemplación desesperada, le pareció insoportable la idea de perderla de nuevo entre la multitud. ¿Cuántas casualidades, pensó, se tendrían que dar para que en los años venideros volvieran a coincidir en algún sitio? Entonces, extrayendo de su débil carácter unas energías inexistentes, se levantó, fue hasta la mesa de la chica, se sentó a su lado y le preguntó si podía invitarla a tomar café. La chica le lanzó una sonrisa neutra, sin significado, en la que dejó ver un trozo de la encía superior. Como aquello tampoco era una negativa, Vicente respiró aliviado y comenzó a hablar de cualquier cosa para que no se quebrara aquel débil hilo de comunicación establecido con la sonrisa. Intentaba introducir cierta coherencia entre el paso de un tema a otro para que no se notara su miedo, pero los temas se le iban agotando sin que ella pareciera prestarle la mínima atención. Finalmente, en uno de sus intervalos ella habló. Dijo:

—¿Pero no te has dado cuenta?

Era la primera vez que oía su voz e hizo tal esfuerzo por captar la calidad del sonido que se olvidó de apresar su significado.

—¿No te has dado cuenta? —repitió ella en un tono tan neutro, tan plano, tan carente de énfasis como la sonrisa.

—De qué —preguntó él.

—De que estoy muerta. La otra vez que me viste por la calle ya me había muerto.

—¿Sabías que nos habíamos visto otra vez? —preguntó él dejando a un lado la información principal.

—Claro —sonrió.

Vicente no estaba dispuesto a aceptar que el hecho de que estuviese muerta fuera un obstáculo capaz de impedir sus relaciones. De todos modos, por si acaso, decidió mentir. Dijo:

—También yo estoy muerto.

Entonces ella cogió el tenedor y lo clavó en el muslo de Vicente Holgado, quien dio un grito que hizo volverse a todos.

—¿Ves como no estás muerto? A los muertos no nos hacen daño estas cosas.

Vicente tuvo que reconocer su condición para que la mujer no hiciera más demostraciones, pero seguía enamorado y no estaba dispuesto a renunciar.

—A mí no me importa que estés muerta —dijo.

—Ahora no, pero llegarías a cansarte. Tengo un olor muy especial, me han abandonado las pasiones y me muevo despacio porque ya no voy a ningún sitio.

—Igual que yo —afirmó Vicente esperanzado—. También huelo raro y lo único que me gusta es estar tumbado en el sofá viendo películas de vídeo. Mira, he alquilado varias para el fin de semana.

—¿Qué es el fin de semana? Se me van olvidando las cosas. Sé lo que es un fin y lo que es una semana, pero no sé lo que significan las dos cosas juntas.

Vicente pensó que a ella se le iba borrando la realidad como a él se le habían borrado sus rasgos. Confió en que el proceso de pérdida de la chica fuera tan lento que a él le diera tiempo a morirse.

—¿Dónde vives? —preguntó.

—Da igual, como no ocupo ningún lugar puedo quedarme donde quiera.

—¿Y cuánto tiempo llevas muerta?

—Sé lo que es cuánto y lo que es tiempo, pero ya no me acuerdo de lo que es cuánto tiempo.

—¿Y es verdad que no ocupas ningún lugar en el espacio?

—Claro, siéntate donde estoy yo y lo verás.

Vicente fue a sentarse encima de la chica y comprobó que su cuerpo atravesaba el de ella como si fuera una imagen virtual, un holograma. Ahora estaba dentro del cuerpo de la mujer, rodeado por una especie de aura constituida por la piel, los rasgos y la melena de ella. De súbito comprendió en qué consistía estar muerto y no era tan distinto de lo que para él había sido estar vivo: una gran lejanía de las cosas, una indiferencia sin dolor, cierto cansancio...

Lo encontraron muerto sobre la mesa del restaurante sin que la autopsia lograra revelar las causas.

CARTAS DE AMOR

TENER RAZÓN

QUERIDA Laura: te sorprenderá que te escriba al cabo de tanto tiempo para darte la razón. Solías decir que lo que más me gustaba del mundo era discutir y, después de discutir, tener razón. Como veo que no la tenía, te la doy: así somos, damos las cosas cuando ya no las tenemos.

Yo, por mi parte, te reprochaba que quisieras cambiarme en aquello que más te había cautivado. Intenta acordarte: Yo era un tipo ingenioso, incluso cruelmente ingenioso, pero eso que tanto te gustaba era también lo que más te esforzabas en reprimir. Ahora sé que lo que te parecía mal era la asociación entre el ingenio y el alcohol, y, sobre todo, que tanto el uno como el otro estuviesen puestos al servicio de lo peor de mí. Creía que atentabas contra mi identidad cuando me reprochabas aquellos golpes de ingenio, o de alcohol, con los que huía del futuro, de nuestro futuro.

El futuro es otra de las cosas con las que somos muy mezquinos a la hora de darlo, pero cuando se nos acaba, entregaríamos a cambio de él la vida, aunque también la hayamos perdido. Yo he perdido la vida huyendo de ti, y el futuro intentando recordar tu teléfono. He acabado como sospechabas: alcoholizado y solo. Soy un lector asiduo de las páginas de contactos de todos los periódicos, aunque, es cierto, no he pasado de la fase de lector. El día que marque uno de esos números me encontraré con el espejo cuyo marco he labrado minuciosamente todos estos años. A veces, para consolarme, pienso que el único teléfono que busco en esas páginas es el tuyo.

No fue, pues, mi ingenio, ni siquiera mi alcohol, lo que nos separó, sino el modo de administrarlo: ahora sé que lo usaba para tapar la responsabilidad de quererte, porque quererte, entonces, era también una forma de desasosiego. Han tenido que pasar todos estos años para comprender que se trataba del desasosiego propio de la existencia, de cualquier existencia, y que al no aceptarlo como una parte de lo que la vida me daba, estaba rechazando también su lado bueno. El lado bueno de la vida eras tú, con desasosiego incluido, pero en aquella época yo oscilaba entre el todo y la nada. Prefería no tener nada si advertía en el todo una carencia, como si hubiera todos completos. Cada todo incluye un agujero al que hay que resignarse o, mejor que eso, al que hay que aceptar como algo que lo constituye.

Ese todo o nada en el que te perdí me ha hecho perder más cosas. ¿Sabes ya por qué abandoné la música? Por eso, porque se trataba de una afición que incluía también una porción de malestar, al menos cada vez que consideraba la posibilidad de no ser un genio. Si no podía ser el mejor, prefería no ser nada. Ahora, después de tantos sacrificios para no ser nada, me dan envidia los músicos medianos que se ganan medianamente la vida en orquestas medianas y son medianamente felices con sus emociones medianas.

He leído en algún sitio que por lo general solemos tener éxito en la segunda cosa para la que estamos más capacitados. ¿Por qué? No sé, quizá porque arriesgarse a triunfar en la dirección exacta de nuestras inclinaciones produce un vértigo insoportable. Yo, después de la música y de ti, para lo que más capacidado estaba era para el alcohol, y creo, sinceramente, que he llegado a ser un buen alcohólico: no me arrepiento de beber ni he destruido con él más vidas que la mía, aunque he de confesar que me gustaría haber roto un pedazo de la tuya.

Si tú tuvieras la vida un poco rasgada, sólo un poco, por esa zona remota de su hechura de cuyo tejido formo parte, creo que aún encontraría un modo de salvarme. No pido tanto: ser ese botón inútil que todo traje acaba perdiendo sin que nadie lo advierta, o esa arruga insignificante que sale más fortalecida cuanto más planchada, o quizá esa hebra mal cosida en el forro de uno cualquiera de tus trajes...

A cambio de eso, te daría la razón, te la estoy dando, de acuerdo, ahora sé que no pretendías que fuera distinto, sino que completara la metamorfosis, que dejara, es decir, la fase de gusano para convertirme en una mariposa. Fortalecías, en fin, mi identidad porque la querías completa (siempre la completud, ya ves, el todo). No supe, no quise, tuve miedo, qué te voy a decir, me gustaba llevarte la contraria. O sea, que no es que fuera malo, no, era un buen tipo, quiero decir un tipo inútil, inestable, inconstante, pero bueno, aunque no para ti, que sólo te interesaban los gusanos por la mariposa o los capullos por la flor o las ostras por la perla... Creo que empiezo a ponerme violento, así que lo dejo, no vaya a ser que te quite la razón que con tanto esfuerzo te he dado. No me contestes si no quieres, pero pon un anuncio en la sección de contactos de cualquier periódico. Los leo todos.

El cepillo de dientes

Querida Beatriz: te escribo en plena luna de miel, desde ese hotel que mira al mar en cuya contemplación perdíamos las horas. No nos han dado la misma habitación que solíamos ocupar tú y yo, pero casi: estamos en la de al lado. Naturalmente, mi mujer no sabe nada de esto. Me pregunto si el venir con ella a los mismos sitios a los que iba contigo es un rasgo de insensibilidad o una muestra de amor. Y, si es una muestra de amor, hacia quién. Los hombres somos muy poco fieles con nuestras parejas, pero es ejemplar la fidelidad que guardamos a sus fantasmas. Ya ves, te quejabas de mis infidelidades y ahora que te has librado de mí estoy, a tu pesar y al mío, contigo a todas horas.

Yo habría entendido que me abandonaras por cualquier otra cosa: por roncar, por no hacer la comida, por lavarme los dientes con tu cepillo (continúo haciéndolo porque una de las pocas cosas que me llevé cuando me echaste de casa fue tu cepillo de dientes), pero no por acostarme con otras. Si alguna vez, en nuestros más de diez años de relación, te fui infiel, no fue precisamente en la cama. ¿Por qué ese temor de las mujeres a que su pareja practique el sexo fuera de casa? Bien, llevas razón, tampoco los hombres lo aceptan, en general al menos. Pero no es mi caso. Ignoro si has tenido alguna aventura extramatrimonial siendo yo tu marido, pero no me habría importado. Tampoco es que me hubiera gustado saberlo, la verdad, no soy esa clase de perverso, pero no me repugna la idea, y no hay contradicción entre que no me importe y que no quiera saberlo. ¿Acaso te he preguntado alguna vez qué hacías en el cuarto de baño, aparte de limpiarte los dientes?

Pues es lo mismo, las cosas que se hacen con el sexo propio son como las que se hacen en el cuarto de baño: uno no quiere conocerlas, pero las acepta como una necesidad de la naturaleza.

O sea, que nunca te engañé cuando estuve con otras y, si llegaste a saberlo, no fue tampoco por falta de discreción mía, sino por tu excesivo celo investigador. No dejo de preguntarme qué querías demostrar o demostrarte cada vez que estallaba en casa una *infidelidad*. Ahora que ya no me quieres, puedo decirte que estuve con muchas más de las que tú llegaste a conocer. He practicado el sexo, y continúo haciéndolo, como otros practican la filatelia o el coleccionismo de fascículos: porque necesito saber en qué consiste la práctica de ese deseo que reverdece más cuanto más lo agotamos. Soy un curioso, ya lo sabes, y me gusta averiguar lo que hay detrás de las cosas, incluidos los párpados de las chicas y sus bragas.

Lo curioso es que la beneficiaria de mis aventuras todas eras tú. Nunca te he querido más que cuando regresaba a casa después de haberme revolcado en la cama de un hotel con cualquier amante ocasional. ¿Por qué es tan difícil de entender algo tan claro? ¿Qué te jugabas tú cuando yo me jugaba la vida arrancando unas faldas nuevas o explorando los jugos de otros cuerpos?

Todo eso no tenía ninguna relación con nosotros, ninguna: era tan ajeno a nuestra historia como cuando me iba a jugar al fútbol o tú te ibas al cine con tus amigas. Por cierto, ¿ibas al cine cada vez que decías que ibas al cine? Me parece imposible: durante una época llevé la cuenta de los estrenos y, según mis cálculos, tuviste que ver tres o cuatro veces las mismas películas. No soy un ingenuo y sé que la vida no se agota en la pareja por muy enamorado que estés como yo lo estaba de ti, de manera que en muchas ocasiones me preguntaba a dónde ibas en realidad cuando ibas al cine, pero reprimí mi curiosidad por respetar tu espacio, ese espacio secreto cuya invasión mutua es el origen del desastre de tantos matrimonios.

Se me ocurre ahora que quizá también tú me *engañabas*, pero que no podías hacerlo sin sentirte culpable, de manera que pusiste toda la culpa en mí, como otros colocan su basura en la puerta del vecino: fue un mal negocio Beatriz; a costa de sentirte limpia destruiste un proyecto amoroso digno de haber durado toda la vida.

Son la siete de la mañana —no he perdido la costumbre de madrugar—. Mi mujer actual, que curiosamente también se llama Beatriz, duerme plácidamente mientras escribo esta carta que no recibirás. Todavía no la he *engañado*, en parte por falta de tiempo (llevamos siete días casados), pero sobre todo porque creo que no la quiero hasta ese punto; ella tampoco a mí, es cierto: nos hemos encontrado en ese tramo de la vida en que uno ya sabe lo que puede obtener del otro y a qué precio. El nuestro será un matrimonio apacible, pero sin pasión. En la habitación de al lado —la nuestra— quizá duerme una pareja como nosotros, que todavía ignora que fracasará por un exceso de amor. Voy a engañarte de verdad por primera vez, por rabia: voy a entrar en el cuarto de baño y me voy a limpiar los dientes con el cepillo de mi esposa. Si, desde donde estés, no te das cuenta es que tampoco lo nuestro mereció la pena. Besos.

asomar – to peep up; [del interior de algo] to peep out

JUAN JOSÉ MILLÁS

altura de pelo (?)

colocar – to place,
colocarse – to get a jo[b]
[colloq] to get falling dow[n]
drunk; to get high / sto[ned]

EL ORGASMO MÚLTIPLE

QUERIDA Rosa: seguro que no recuerdas una tarde de sábado en la que levantaste perezosamente la cabeza de una revista que estabas leyendo para preguntarme: «¿Qué es esto del orgasmo múltiple?» Yo, sin embargo, podría describirte aquel instante, y las horas que le siguieron, con la precisión con la que los muertos, si hablaran, darían cuenta de la última escena a la que se asomaron sus ojos. Recuerdo la música que sonaba en el tocadiscos, la luz de poniente que entraba por el ventanal del salón, la altura exacta de tu melena, el color sombrío de las botellas preparadas sobre el carro de las bebidas, el olor a asado procedente de la cocina... Iban a venir a cenar unos amigos y habíamos colocado todo de acuerdo con esa sintaxis en la que el orden de los objetos intenta reflejar la felicidad de sus dueños. Había flores en el recibidor y en el salón, y el mantel de la mesa, que habíamos traído de Madeira, era una plana blanquísima donde con los cubiertos y las copas habíamos escrito una caligrafía en la que se podía leer que nos queríamos.

— Tampoco he olvidado el goteo imperceptible procedente del cuarto de baño (la cisterna no cerraba bien), ni el ruido lejano de un teléfono que nadie descolgaba.

Tengo la escena grabada en mi biografía con la precisión
con la que dicen que se ven las cosas cuando vas a
morirte y la realidad, de súbito, adquiere la relevancia
con la que se dibuja en las pesadillas. Y en medio de
ese cuadro, de esa escena en la que se representa una
tragedia que nadie ve, suena tu voz preguntando con
desinterés aparente: «¿Qué es esto del orgasmo múltiple?».

Antes de que pudiera responderte, sonó el timbre a
cámara lenta (a partir de ese instante todo sucedió a
cámara lenta) y fuiste corriendo a abrir la puerta a nuestros amigos. Cómo te odié aquella noche. Mientras ce-
nábamos, en mi cabeza no dejaba de resonar el eco de
tu pregunta. Estaba aterrado con la idea de que la hi-
cieras en público, de manera que cada vez que había
una pausa o que dejabas de masticar, intervenía yo atro-
pelladamente con propuestas de conversación dispara-
tadas. Me parecía que todo lo que evocara el territorio
del sexo podía disparar de nuevo tu pregunta. En un
momento dado vi, sobre el sofá, la revista que habías
estado leyendo y me dirigí allí para esconderla disimu-
ladamente debajo de la alfombra, de donde, a la hora
del café, la sacaría una de nuestras invitadas cuyo tacón
se había torcido sobre su lomo. Recuerdo el gesto divertido de nuestra amiga mostrando a los demás el ha-
llazgo, y tu mirada yendo de la revista a mí. Para encontrar un terror de calibre semejante al de aquel día,
tendría que remontarme a las noches de mi infancia,
pobladas de preguntas que, como la tuya, todavía no he
conseguido responder. El caso es que tus ojos me mi-
raron después de contemplar la revista, y en ese instante
supe que no eras inocente. A lo mejor no te habías dado
cuenta todavía, o reparaste en ello al observar mi súplica

silenciosa de que te callaras, pero por eso mismo, porque te callaste, supe que los efectos devastadores de tu pregunta habían sido calculados antes de lanzarla sobre mi integridad sexual con la precisión de un misil.

Yo, hasta entonces, había creído que aquellos tres jadeos con los que me obsequiabas antes de dormirte eran un orgasmo múltiple. A mí, al menos, me satisfacían porque creí que los multiplicaba el amor y porque te dormías en seguida, como si te hubieras quedado llena de algo. Pero aquella pregunta venenosa era un alegato contra mi incapacidad sexual. ¿Por qué contra la mía? No lo sé: supongo que porque he sido educado, como tú, en ese patrón según el cual las insuficiencias sexuales de la pareja son, al menos en primera instancia, imputables al hombre. Puedes tranquilizarte: en nuestro caso seguro que lo eran porque no he conseguido arrancar un solo orgasmo múltiple a ninguna de las mujeres con las que he ido fracasando sucesivamente después de aquel naufragio en el que te perdí. Sinceramente, tampoco creo que sea tan importante, pero tú conseguiste que lo fuera con aquella pregunta de sábado por la tarde que abrió una herida que no cicatriza sino para abrirse de nuevo cada vez que me entrego a una historia de amor. No importa que ellas me quieran, incluso que me quieran mucho y me lo demuestren de mil modos: si comparo sus orgasmos con los de aquella revista que todavía conservo, tan complejos, siento una impotencia insoportable.

A la semana siguiente de esta escena, me preguntaste un día que por qué, de golpe, había dejado de quererte. Te respondo ahora: fue por aquel instante de nuestra juventud en el que, abandonando momentáneamente la lectura de una revista, preguntaste con una neutralidad atroz que qué era aquello del orgasmo múltiple. Te lo digo por si aún te interesa saberlo y, con mis saludos, te adjunto la revista que nos separó porque seguramente no te dio tiempo a leer el horóscopo, donde se anticipaba lo que iba a ser de nosotros a partir del orgasmo múltiple de aquel maldito sábado.

adjuntar - to enclose

Una hija como tú

QUERIDA Ana: tuve, hace meses ya, una hija que lleva tu nombre. No sé si uno se acostumbra a los hijos, pero yo todavía no me he acostumbrado a esta niña: la miro como si, en el momento en que dejara de hacerlo, fuera a desaparecer. Cuando estoy fuera de casa, pienso en ella todo el rato y llamo varias veces por teléfono para asegurarme de que se encuentra bien; en realidad, para certificar que existe, pues como te digo no he logrado incluirla en la rutina del resto de las cosas. Es muy rara esta sospecha de que jamás me acostumbraré a ser padre, y eso, a la vez de hacerme feliz, me agota mucho. Creo que siempre me he defendido de los afectos importantes porque, poseyendo una naturaleza perezosa, he luchado toda mi vida por instalarme en la rutina, en la uniformidad, más que en la sorpresa. Por eso, me da vértigo pensar en los años futuros sabiendo que cada día que me levante de la cama tendré en el cuarto de al lado la sorpresa de esa niña que se llama Ana, como tú. Lo curioso, por otra parte, es que ya no podría imaginar la vida sin su presencia.

Ayer por la noche me desperté y fui a verla. Me senté al lado de su cuna y, mientras la miraba, la memoria se puso a funcionar y me acordé de ti. Entonces, como en una revelación, averigüé por qué le había puesto Ana. Hasta ese momento me había conformado con la idea de que se llamaba así porque ése es también el nombre de mi mujer, pero no es cierto; se llama Ana por ti, aunque hasta ayer no lo he sabido. Qué raro es todo. Recuerdo que cuando mi mujer, todavía embarazada, me sugirió ese nombre, yo no me opuse, aunque nunca he estado de acuerdo en que los hijos lleven los nombres de sus padres: me parece que es un modo excesivo de determinarles, cuando no de dificultarles la adquisición de una identidad separada de la nuestra. Sin embargo, ya digo, no sólo no me opuse, sino que recibí la idea con cierto placer. Ahora sé por qué: porque no era el nombre de mi mujer el que le estaba dando, sino el tuyo. Así, al cabo de los años, aquel hilo de la trama de nuestra vida que quedó como colgando en el vacío se cierra con esta niña que, con tu nombre, heredará sin duda otras cosas de ti, de lo que tú fuiste para mí, y de lo que supuso para los dos aquella historia de adolescencia que había olvidado y que en la madurez se está reeditando con la fuerza de lo reprimido.

Dicen que los niños escuchan mejor lo que se silencia que aquello de lo que se habla, y es verdad. Yo estos días he pensado mucho en mi infancia y he recordado cómo leía lo que mis padres trataban de ocultar debajo de sus palabras. Lo que no se dice adquiere un poder excesivo, pues crece sin las limitaciones de lo manifiesto y se va instalando con una fuerza sorprendente en la zona de sombra de la identidad, desde donde actúa para trazar nuestro destino. Me pregunto cómo actuará tu nombre en los años futuros sobre el destino de mi hija, porque cuanto mayor es la coartada, más grande es el crimen que intentamos ocultar con ella. La coartada, en este caso, es excelente: mi hija Ana se llama Ana porque ése es el nombre de su madre, pero tú y yo sabemos que debajo de esa prueba irrefutable, que demuestra mi inocencia, se oculta un hecho que, la verdad, no sé si es atroz o maravilloso.

No vayas a interpretar que no quiero a mi mujer: la quiero, y mucho, pero no es comparable con el amor que sentía por ti cuando teníamos dieciséis o diecisiete años. Creo que en todos los amores que vienen después de ese primero, uno no busca otra cosa que el reencuentro con aquella experiencia adolescente. Al fin y al cabo, también entonces tú interrumpiste la rutina de mi vida igual que esta niña a la que no puedo dejar de mirar, como si fuera un pozo en cuyas profundidades está la respuesta a todas las preguntas que los años no han conseguido responder. Miro a mi hija con la misma intensidad con la que entonces te miraba a ti, y pienso en ella con semejante desesperación. No sé si es bueno este amor, tal vez no, pero cómo evitarlo.

Quizá sea una locura, Ana, pero, desde ayer por la noche, en lugar de buscar en mi hija rasgos de mi mujer, o míos, le busco parecidos contigo. Lo malo, o lo bueno, no sé, es que se los encuentro. Creo que tiene el mismo gesto de asombro en la línea de las cejas y la misma interrogación en el modo de levantar el labio superior dejando al descubierto las encías. Me da terror, a la vez que placer, imaginar cómo será nuestra relación cuando alcance la edad que tú y yo teníamos entonces.

Te lo diré de otro modo: creo que más que una hija he tenido una novia. Y aunque esa idea me turba, pienso, por otra parte, que quizá esto le suceda a todos los padres, que en lugar de hijas tienen novias; lo que pasa es que la mayoría no se entera y no ha de hacerse cargo de la culpa que este placer conlleva. ¿Y tú? ¿Has tenido hijos? ¿Alguno de ellos se parece a mí? Escríbeme, si puedes, y ayúdame a salir de esta confusión.

UN DEDO IMPERTINENTE

QUERIDA Elisa: fue una sorpresa recibir tu carta después de tantos años sin saber nada de ti, pero lo que más me desconcertó es que me preguntaras que por qué te dejé, o quizá por qué dejé que me dejaras. No sé qué puede importar eso al cabo de los años, pero si sirve para recuperar la vertiente amistosa de nuestra relación, intentaré explicártelo: Si recuerdas, ya muy al principio te confesé que yo no tenía capacidad para amar. Empecé a salir contigo por imitación, por hacer lo que veía en los otros; para no sentirme raro, en fin. Aunque tú no lo creyeras, era verdad que hasta entonces no había tenido novia; me aburrían las novias porque mientras estaba con ellas descuidaba mis obsesiones, mis estudios enciclopédicos, ya sabes. Además de eso, me daban miedo porque si tienes una novia has de salir con ella los domingos por la tarde, y a mí los domingos por la tarde me horrorizan. Los paso en la cama, incluso con fiebre.

Comencé a salir contigo, ya digo, por imitación, pero no te engañé. Recuerdo que te dije que yo tenía una rara incapacidad, la de no enamorarme nunca, para que te retiraras a tiempo si lo creías conveniente. Tú lo tomaste como una fanfarronería, como si se pudiera presumir de eso, cuando yo te estaba hablando de una carencia que para mí ha tenido siempre la calidad de una amputación. Me faltaba la capacidad de amar como a otros les falta un pie, o les sobra un dedo, no dependía de mí.

Hubo contigo, sin embargo, un momento en el que fui feliz, lo que quizá te hizo pensar que me habías curado. Fue cuando descubrí que tenías familia (continúo saliendo con chicas porque me apasionan sus familias: descubrí ese filón gracias a ti). Recuerdo que habíamos estado haciendo el amor en mi apartamento, a las pocas semanas de conocernos, y, como no sabía de qué hablar, te pregunté por tu familia. Me contaste entonces que tu padre tenía en el casco antiguo una ferretería en la que trabajaba tu madre de cajera. Tenías también una hermana mayor, ya casada y con problemas de columna, y un hermano pequeño al que tu padre intentaba atraer sin éxito hacia el negocio familiar. El chico odiaba el mostrador, aunque sentía una pasión incomprensible por los ingenios de las cisternas de los retretes.

A lo largo de las semanas siguientes, fui ampliando toda esta información. Nos encontrábamos en mi apartamento y, después de hacer el amor, lo que para mí constituía un trámite, empezaba a investigar a tu familia. Mientras tú hablabas de unos o de otros, yo navegaba por cada una de aquellas vidas imaginando para ellas finales desdichados o grandiosos, según el tiempo o el humor. Tú eras en realidad una ventana por la que yo me asomaba para ver, sin ser visto, ese microcosmos excesivo que es todo grupo familiar. De este modo, daba también salida a mis afanes científicos, centrados en esas fechas en el estudio de la conducta. Lo cierto es que a medida que el tiempo transcurría dejabas de ser una ventana para convertirte en un microscopio. Así, a través de ti, me enteré de que tu padre tenía seis dedos en la mano derecha. El que sobraba carecía de articulación y salía del meñique como una ramita retorcida y seca. Al parecer, ese dedo sobrante lo habíais heredado todos los hijos, aunque a cada uno le había salido en un lugar diferente. Tu hermana mayor lo tenía en la axila derecha, lo que le impedía usar desodorante, pues la yema del dedito se irritaba con los productos que contenían alcohol. A tu hermano le había salido en el paladar y le impedía el normal desenvolvimiento de la lengua, por lo que su habla resultaba un poco gangosa y desarticulada. Yo estaba aterrado, esperando que me confesaras dónde lo tenías tú, pero afortunadamente no lo hiciste, y yo tuve el buen criterio de no preguntar. Me producía una suerte de inquietante extrañeza imaginarte poseesora de un dedo secreto.

Lo cierto es que a partir de entonces nuestras citas se convirtieron en una amenaza. Te acariciaba con miedo y te penetraba con terror porque no se me quitaba el dedo de la cabeza, donde aún permanece desde entonces. Además por aquella época ya le habían extirpado a tu madre un ovario poliquístico; tu hermana mayor se había separado del marido y se había ido a Suiza para tratarse la columna; tu hermano pequeño había logrado patentar un ingenio que limpiaba y desinfectaba el retrete en una sola operación; en cuanto a tu padre, había perdido el dedo sobrante manipulando una sierra eléctrica y se había muerto, como si en el defecto residiera la vida. Quiero decir que a partir de ahí perdisteis interés, porque todo empezaba a repetirse —a tu madre le quitaron el segundo ovario y tu hermana se volvió a

casar, etc.—, aunque lo que más influyó en que te dejara, o en permitir que me dejaras, no me acuerdo, fue
el miedo a tropezarme un día con el dedo invisible. Ya
lo sabes.

A cambio de esta tardía confesión, te pido que me
contestes tú a otra pregunta que no he dejado de hacerme durante todos estos años: ¿dónde tenías tú el
dedo sobrante? Y, por favor, no vayas a responder que
en el interior de mi cabeza.

El remordimiento

QUERIDA Antonia: llevo algún tiempo preguntándome dónde se marcha o en qué se convierte el remordimiento cuando nos abandona. No me refiero, claro, al remordimiento de vivir, que es ese malestar difuso que se incorpora a la existencia como una culpa original, sino al desasosiego que queda después de algunos actos u omisiones por los que uno empieza a criticarse aun antes de llevarlos a cabo. El amor está lleno de esta clase de escrúpulos: yo mismo arrastré durante algún tiempo el de haberte abandonado, o el de creer que te abandonaba, porque ahora, observando las cosas desde la distancia, o desde la memoria, empieza a parecerme que fue al revés. Qué película.

Las cosas sucedieron de este modo: Yo me había enamorado de otra mujer, y me sentía mal cada vez que llegaba a casa y tenía que fingir que entre nosotros todo continuaba igual. Algunos soportan bien esta mentira, incluso les divierte, pero a mí me hacía daño, no ya por los problemas de orden práctico a los que tenía que enfrentarme cada día para ocultar mi doble militancia amorosa, sino porque me parecía estar reproduciendo el modelo de relación sentimental que más desprecio. Me sentí moralmente obligado, pues, a tomar una decisión, que no podía ser otra que confesar y marcharme, aunque desde luego muchas veces fantaseé también con la posibilidad de llegar a un acuerdo. Si os quería a las dos, y así era, por qué poner en marcha todo el dolor de una separación. Lo sé: porque no se puede tener todo y hay momentos en los que es preciso amputar un órgano para salvar el conjunto. No me di cuenta entonces de que yo era el órgano amputado y tú el conjunto. Imbécil.

Así, pues, decidí confesar. Al fin y al cabo, me decía, estas cosas no se eligen; el enamoramiento se nos impone como algo en lo que nuestra capacidad de decisión queda anulada, como si nos enamoráramos para otro. Lo digo porque yo, sinceramente, si hubiera podido elegir, no me habría enamorado, pero puesto que me había sucedido tenía que actuar. Y actué, te lo dije. En realidad, llevaba mucho tiempo diciéndotelo de mil maneras, pero tú parecías no enterarte. ¿Por qué no me preguntaste quién me había regalado aquel mechero que de repente apareció en mi existencia de fumador y con el que me relacionaba como si fuera un talismán? ¿Por qué no te sorprendió que cambiara de marca de colonia? ¿Por qué aceptaste con tanta docilidad que de súbito tuviera las semanas cargadas de comidas de trabajo? Quizá porque lo sabías todo y no estabas dispuesta a darme ninguna facilidad. El caso es que la noche en que te confesé al fin mi situación, lejos de montar una escena, que es lo mínimo que se le puede ofrecer a alguien tan sincero, actuaste con una pasividad terrorífica. Te confieso que me marché a la cama asustado, pensando que aquella ausencia de manifestaciones por tu parte era la peor de las respuestas que cabía esperar. «Se ha vuelto loca», pensé lleno de remordimientos.

Y al día siguiente, cuando me dijiste que necesitabas estar sola y que te ibas a pasar unos días a la casa que te habían dejado no sé dónde unos amigos comunes, los remordimientos se convirtieron en una obsesión agotadora. «Se va a matar», me decía, «se va a matar y yo tengo la culpa». Aquellos días que faltaste de casa me consumí hasta extremos indecibles. Una noche, al pasar frente a un espejo, me vi en él y parecía otro. Afortunadamente, cuando yo mismo estaba al borde de la locura, volviste a casa y lo primero que me sorprendió fue tu buen aspecto, que parecía mejor si lo comparaba con mis ojeras y mi delgadez. Estabas seria, claro, pero serena y razonable. Lejos de alegrarme, mi preocupación aumentó, pues —como sabes— en la serenidad y en la razón anida la locura con más frecuencia que en el desvarío. El caso es que dijiste comprender mi situación y me diste libertad para hacer lo que más me conviniera.

No esperé oírtelo decir dos veces; tenía prisa por mi propia felicidad, y busqué en seguida un apartamento en el que cultivarla. Desde allí, vigilaba a través de terceros tu evolución, esperando que la noticia de tu hundimiento llegara de un momento a otro; sin embargo, me contaban que cada día estabas mejor. Supe también entonces que aquellos días que faltaste de casa te habías visto con el hombre con el que vives ahora y que por lo visto era un amor de juventud del que nunca me habías hablado...

En cuanto a mí, incomprensiblemente, me desenamoré en seguida de la mujer que nos había separado y empecé a tener una nostalgia insoportable de nosotros. Te lo dije, me contestaste que era tarde y no insistí por educación. Pero ahora, pasado el tiempo, he comprendido que me enamoré de la otra por educación también.

O sea, que quien tenía un amante de verdad eras tú y, no sé cómo, aunque de un modo sutil, me transmitiste la necesidad de que te abandonara y yo busqué la excusa de querer a otra para dejar que fueras feliz sin remordimientos. Parece increíble, pero sé que fue así, y por eso aquel remordimiento del que me hice cargo sin pertenecerme se ha transformado a lo largo de este tiempo en un odio ciego, sin salida, del que espero que te llegue algo a través de esta carta. O sea, que te mueras.

ADULTERIO

QUERIDA Julia: es verdad, soy un adúltero, qué le vamos a hacer, pero lo soy a la manera en que otros son cojos o míopes, es decir, como algo que escapa a mi control. Lo siento. Quizá no lo creas, pero si hubiera una medicina o un tratamiento que curara esa cosa, me sometería a él con gusto. El adulterio, aunque da muchas satisfacciones, a la larga resulta agotador porque te obliga a vivir en un estado de vigilancia permanente.

De todos modos, lo que más me sorprende cuando repaso nuestra historia es que me abandonaras por lo mismo que me habías tomado: por adúltero. Te recuerdo que antes de ser tu marido fui tu amante. ¿Has olvidado aquellas tardes infinitas que pasábamos en la cama de un hotel mientras mi mujer realizaba autopsias en el hospital? Te hacía mucha gracia que estuviera casado con una médico forense y te excitaba hasta el delirio que te contara los pormenores de una autopsia. Yo también disfrutaba haciéndolo, la verdad. El caso es que entonces sabías ya que era un adúltero: no estaba contigo, como otros, porque no soportara a mi mujer; al contrario, siempre te dije que estaba muy enamorado de ella y de sus conocimientos anatómicos. Lo nuestro era otra cosa, otra cosa que se llama adulterio y a lo que creo que tengo tanto derecho como el cojo a su cojera o el hipocondríaco a su cáncer imaginario. ¿Por qué, pues, ese escándalo cuando —una vez casado contigo— descubriste que me relacionaba clandestinamente con otra mujer?

Es verdad que esa otra mujer era mi *ex*, la forense, que me había abandonado a su vez cuando descubrió lo nuestro, y que luego volvió, aunque en calidad de amante. Una amante estupenda, por cierto: en los últimos tiempos del matrimonio, no sé por qué, había dejado de contarme las autopsias, pero ahora, mientras tú visitabas las cárceles para atender a tus clientes, me hacía unas anatomías patológicas enloquecedoras. Recuerdo que andaba todo el día con una excitación sexual insoportable y era por esto, porque me explicaba las partes del cuerpo de un modo tan provocador que me volvía loco. Tú también me excitabas con las historias de tus presos, entiéndeme, pero en aquella época la descripción de un paquete intestinal o de una masa encefálica me parecía más sugerente que la de una operación de blanqueo de dinero o un atraco. Ya sabes que el sexo es muy caprichoso.

De otro lado, no quiero dejar de recordarte que si descubriste la historia entre mi *ex* y yo, no fue por ninguna imprudencia mía —soy un adúltero discreto—, sino porque me pusiste un detective. Tú sabrás el porqué de ese interés en saber algo que no te concernía. Yo también lo sé, me parece; permíteme que te lo explique: después de haber logrado lo que te propusiste mientras fuimos amantes, o sea, convertirme en tu marido, empezaste a valorar las ventajas de la situación anterior. Esto parece una característica fatal del ser humano: siempre queremos lo que acabamos de dejar, es decir, que si estamos en el campo echamos de menos la ciudad y, si en la ciudad, añoramos el campo. Pues bien, ahora que al fin nos habíamos convertido en un matrimonio, lo que te apetecía de verdad es que fuéramos amantes. Como eso resultaba imposible, te dedicaste a odiarme, pero el odio es muy mal estratega, de manera que en seguida se te ocurrió lo del detective y después de lo del detective el abandono.

Yo no sé qué es esto del adulterio, la verdad, pero sólo en el gusto por el bricolage he encontrado una pasión comparable. Cuando me pregunto por qué necesito alimentar esa fiebre clandestina no logro responderme y sin embargo una parte de mí sabe que tal pasión me proporciona una sabiduría especial, aunque ignoro de qué orden. Si lo tuviera que expresar en pocas palabras, diría que el adulterio me pone en contacto con las verdades fundamentales de la existencia: con el origen, desde luego, aunque también con la muerte. Es así, aunque no sepa explicarlo mejor. Ya sé que para vosotras no es lo mismo: para vosotras la relación adúltera no se comprende como un fin en sí misma, sino como paso previo a un comercio estable: por eso acabé casándome contigo y por eso también vivo en la actualidad con mi primera mujer, que fue mi amante mientras tú y yo estábamos casados. Tengo poco carácter y siempre que desde el matrimonio me han empujado al divorcio, o desde el adulterio al matrimonio me he dejado llevar por no parecer descortés. Pero para mí siguen siendo dos instituciones distintas, aunque complementarias.

Te digo todo esto porque estoy pensando en casarme de nuevo con mi actual compañera, la forense, pues nos queremos mucho y nos apetece formalizar la situación. O sea, que tengo en perspectiva un matrimonio estable, sólido, y, por tanto, una situación excepcional para dedicarme al cultivo de la pasión adúltera. Lo que quería proponerte es que la compartieras conmigo aceptando al fin que se trata de una relación sin horizonte, como la vida misma, pero, también como la vida, imprevisible y portentosa. Si estás de acuerdo, escríbeme al apartado de correos que te indico al dorso y negociamos.

CONVERSACIONES

QUERIDA Carmen: me preguntaste muchas veces de qué hablaba yo con mis amigos, sorprendiéndote de mi resistencia para contártelo. Llevabas razón: me resistía, quizá por temor a ofenderte. Me ha costado un poco de trabajo aceptarlo, pero creo que, en general, los hombres hablamos entre nosotros de las mujeres de un modo ofensivo. Por eso cuando nos reunimos a beber no se mencionan las esposas ni las madres, que quizá sean lo mismo para la mayoría de nosotros. Ahora, que no tengo esposa, ni madre, recuerdo con mayor nitidez aquellas conversaciones y tu raro interés por conocer su contenido. Ahí va: gran parte de la camaradería entre hombres está montada sobre lo que piensan de las mujeres. Y no hablan de ello en casa porque intuyen que es ofensivo, aunque ignoren por qué. Lo diré de otro modo: todo hombre está convencido en lo más profundo de que en su relación con el otro sexo hay algo anómalo que conviene ocultar como se oculta una enfermedad venérea. Por eso, cuando los hombres se reúnen y entran en esa fase del alcohol que abre las puertas de las confidencias comienzan a hablar de ellas y de las fantasías que provocan en ellos —en nosotros— con la franqueza con la que en una reunión de alcohólicos anónimos se intercambian las experiencias de su vicio. Pero cuando la reunión acaba y se reintegran —nos reintegramos— a la vida social, esa puerta se cierra y el espacio de la sinceridad permanece vacío hasta la siguiente reunión.

Lo curioso es que haya tardado tanto tiempo en verbalizar algo tan sencillo. Conocí a un sujeto muy apreciado por las mujeres, porque poseía esas cualidades que tanto se valoran ahora. Lo diré deprisa: era tierno, sabía escuchar, resultaba galante sin ser empalagoso, lloraba de vez en cuando y, en general, no le importaba mostrar a las mujeres sus debilidades. Sin embargo, cuando estaba entre hombres, y con dos copas de más, se movía en el mismo registro algo grosero que el resto de nosotros, registro del que también quedaban misteriosamente excluidas su mujer y su madre. Cierto día, en un viaje que tuvimos que hacer juntos por razones profesionales, me confesó que fingía. Había aprendido en las encuestas las cualidades que las mujeres contemporáneas más apreciaban en los hombres y se las había colocado a manera de prótesis sobre su personalidad para tener éxito con ellas.

También yo he aprendido a fingir gracias a sus consejos, de manera que me desenvuelvo bien en el mundo femenino: no he tenido más remedio que aprender: en mi trabajo los puestos de mayor responsabilidad están ocupados ahora por mujeres que no soportarían cerca de sí a otra clase de hombre. Sin embargo, me molesta fingir. Hay en mí una aspiración moral, quizá producto de la ingenuidad, que me empuja a resolver ese divorcio entre lo que decimos de las mujeres por delante y lo que afirmamos de ellas por detrás. ¿Que qué decimos por detrás? Groserías, puedes imaginarte, pero groserías que revelan un estado de necesidad permanente, una dependencia enfermiza que sin embargo no podemos aceptar. Nos defendemos de esa dependencia con un discurso de borrachos que jamás mostraríamos fuera de la tertulia, mucho menos en los tiempos que corren.

Quizá para empezar a resolver ese divorcio, sería bueno que los hombres supiéramos lo que las mujeres decís de nosotros en vuestras reuniones. ¿No sois también algo groseras? En mi trabajo, como digo, hay muchas mujeres. A veces se olvidan de mi presencia y las oigo hablar como si no hubiera ningún hombre delante: confieso que se me ponen los pelos de punta por la crueldad con la que se refieren a las insuficiencias de sus maridos. Creo que ésa es una diferencia notable entre vuestras conversaciones y las nuestras: que vosotras sois capaces de hablar en público de vuestras parejas, mientras que nosotros procuramos acotar para ellas un territorio que quizá no sea sino la representación del instinto posesivo que llevamos a todas partes. O sea, que no sé qué es peor, si lo vuestro o lo nuestro.

En cualquier caso, lo que sí parece cierto es que las relaciones entre hombres y mujeres están montadas sobre un vacío verbal que ya no sé si nos une o nos separa. A ti y a mí nos separó ese vacío que tú intentabas que yo rellenara con palabras que no podía decir. Te las diría ahora si te tuviera cerca, incluso te contaría sin ningún problema de qué hablo con mis amigos: hablo de ti, todo el tiempo me refiero a ti, como si te hubiera perdido el respeto. Quizá te perdí por no perdértelo. Creo que fue la combinación entre tu compasión y mi respeto lo que mandó al carajo nuestra historia.

De esto es de lo que hablo ahora con los amigos en el bar, de esto y de la fantasía de que nos encontramos un día por la calle, y al ver que tú no tienes compasión ni yo respeto nos encerramos en un hotel y no salimos.

ÁFRICA

QUERIDA África: qué injusto fui contigo, qué cruel conmigo, y cuánto tiempo he tardado en darme cuenta de ambas cosas. Te lo diré en dos palabras: me enamoré de tu nombre; oí que te llamabas África y perdí la razón. Había leído en mi adolescencia una novela en la que aparecía una mujer llamada así, a la que atribuí los peligros y la vegetación de ese continente por entonces fantástico, y estuve soñando con ella hasta la juventud. Averigüé que había mujeres que de verdad se llamaban de ese modo —me hablaron de una en Barcelona y de otra en Sevilla—, pero jamás imaginé que alguna se cruzaría en mi camino. De manera que cuando escuché tu nombre por primera vez en el ascensor del ministerio estuve a punto de marearme. En lugar de eso, perdí la razón porque al volverme con disimulo para ver cómo eras, me tropecé con una melena excesiva, entre cuyos claros podía adivinarse el acantilado de tus ojos y los peligrosos bordes de tus labios. Dirás con toda razón que no te vi a ti, sino a la imagen ideal que yo llevaba dentro. Qué le vamos a hacer. Creo que todos vemos fuera lo que llevamos dentro. En ese sentido, tenía razón Castaneda —lo leímos juntos, ¿recuerdas?— al afirmar que la realidad no es más que la descripción que hacemos de la realidad.

Esa noche tuve fiebre y al día siguiente también. Y cuando por fin averigüé en qué planta trabajabas y logré hablarte con cualquier excusa mi temperatura aumentó, como si me hubieras contagiado alguna enfermedad fantástica de las que proceden de ese continente inabarcable. Si tú eras África —y lo eras, te llamabas así—, a mí me correspondía como mínimo ser un explorador de altura. África es una de las cinco partes del mundo. Y la más cálida. No podía conquistarla de cualquier manera. De cómo un pobre funcionario se convirtió en un Livingstone dispuesto a encontrar en ti las cataratas Victoria o las fuentes del Nilo podría hablarte durante horas, pero me da un poco de vergüenza. Te digo esto para que comprendas que yo vivía en el interior de una novela, y por si ello sirviera para que disculparas un poco mi decepción ulterior.

El caso es que ataviado de los atributos que imaginaba en un Livingstone, o en un Stanley, inicié un acoso que, para mi sorpresa, comenzó a dar resultados en seguida. Ya sabes que África comenzó a explorarse muy tarde, en el siglo XIX, y que hasta hace nada ha estado sometida a regímenes coloniales, alguno de los cuales, me parece, todavía subsiste. Creo, sinceramente, que también yo cometí el error de los colonizadores; quiero decir, y lo señalo para mi vergüenza, que al principio vi lo que buscaba en lugar de lo que había. Lo malo es que pasada esta primera fase de enamoramiento, cuando advertí que jamás encontraría en ti el Kalahari ni el lago Ngami, ni, en fin, la vegetación o la fauna que alimentaron mis sueños de adolescencia y juventud, me vine abajo, o se me vino abajo el mundo, mi mundo, aquel con el que había soñado durante las tediosas horas de funcionario bostezador e insatisfecho.

Descubrí, en fin, que no eras África, aunque te llamaras así. Lo malo es que tampoco fuiste Oceanía o Asia. La verdad es que ni siquiera eras un continente, sino más bien una isla, una pequeña isla sin misterios en cuyo interior yo sólo podía ser un náufrago. Tenía que haberlo comprendido mucho antes, sobre todo si pensamos que era un lector empedernido de novelas: en la lógica novelesca los continentes están destinados a los descubridores y yo nunca he sido un descubridor; yo he sido un náufrago toda mi vida, y un náufrago, por mucho que nade, siempre acaba alcanzando las orillas de una isla.

Lo sorprendente es que tú me quisieras a pesar de no ser más que un náufrago. Pero ese amor, lejos de consolarme, me hacía daño, pues me restituía una y otra vez a la condición inaceptable del que ha perdido su embarcación, su vida, y bracea desesperadamente en busca de un trozo de madera sobre el que mantenerse a flote. Entonces no lo comprendí, pero luego, pasados los años, he alcanzado la conclusión de que si me aceptabas como náufrago era porque tú te aceptabas como isla, y en esa aceptación, ahora lo veo, había más sabiduría que en los cinco continentes reunidos.

Podría, en fin, justificarme también diciéndote que alrededor del nombre de la persona amada hay, por lo general, más malentendidos que en una comedia de enredo. De hecho yo me llamo como tu padre, y he observado también que los nombres de la mayoría de los enamorados, lejos de ser casuales, estaban ya en su biografía antes de encontrarse con el otro. Pero ésta pretende ser una carta de amor, porque lo que quería decirte, África, querida África, es que del mismo modo que cuando te conocí me contagiaste unas fiebres tropicales, ahora padezco de la enfermedad del sueño; es decir, que sólo quiero dormir, dormir para soñar con África, contigo, África, la única mujer de mi vida que supo aceptarme como lo que era: un náufrago.